清賞叢書

印典

〔清〕朱象賢 撰

廣陵書社

〔清〕朱象賢 撰

印典

下册

廣陵書社
中國·揚州

清賞叢書

卷五

綜紀

典籍紀載，均非無意；傳示後人，足資稽考。未敢避繁冗之譏而略之也。是類與《制度》《故事》《鐫製》等目非有關係，而於印章之梗概不無相涉。是以搜羅附列，以志無遺。

辨物璽之

《周禮·職金》：辨其物之美惡與其數量，揭而璽之。注：謂加以印封也。

璽書

《左傳·襄公二十九年》：公在楚，季武子使公冶問璽書追而與之。疏：此諸侯大夫印，稱璽也。

六都印

《周書》：師有六都印，皆是師自防之法。

固璽

《呂氏春秋》：孟冬，坿城郭，戒門閭，修楗閉，慎關籥，固封璽。

怡軒先生曰：時當斂藏，百事休息，璽印并應固藏也。

六國印

《史記·蘇秦傳》：使我有洛陽負郭田二頃，吾豈能佩六國相印乎！

五國印

又，《張儀傳》：張儀卒後，犀首入相秦，嘗佩五國之相印，爲約長。注：犀首，姓公孫，名衍。

懷金印

《蔡澤傳》：澤謂御者曰：『吾持梁刺齒肥，躍馬疾驅，懷黃金之印，結紫綬於腰，足矣。』

璽之于塗

《呂氏春秋》：民之于上，若璽之于塗也。印之以方則方，印之以圓則圓。

金印葬

《郡國志》：闔閭食蒸魚，賜三女，女怨自殺。王痛之，葬於郭西，金印玉牒悉以送葬。因名女墳湖。

負璽

《環濟要略》：侍中，古官也。秦始皇復古，冠貂蟬，漢因而不改。此内官拾遺左右，出則負璽以從，秩二千石。

金剛靈璽

《漢武内傳》：西王母佩金剛靈璽。

棄印不從

《項羽紀》：成安君陳餘棄將印去，不從入關。然素聞其賢，有功於趙，聞其在南皮，故因環封三縣。

無功奪印

《漢書·郭昌傳》：以大中大夫爲拔胡將軍，屯朔方，還擊昆明無功，奪印。

黄金印

賈誼《新書》：天子之相號爲丞相，黄金印，而尊無敵，秩加二千之上。

懷銀黄

漢武以璽書敕責樓船將軍楊僕曰：將軍請乘傳行塞，因用歸家，懷銀黄，垂三組，夸鄉里。注：銀，銀印。黄，金印。楊爲主爵都尉，又爲樓船將軍，并封梁侯，三印故三組也。

得印一匱

《漢書》：夏侯嬰從捕虜六十八人，降卒八百五十人，得印一匱。

受璽旁午

《漢書·霍光傳》：受璽二十七日，使者旁午。

收印千八

《册府元龜》：臧宫爲偏將軍，從破群賊，數陷陣却敵。後爲輔威將軍，討公孫述於蜀，前後收得節五，印綬千八百。

掠印簿入

《東觀記》：段熲上書曰：『又掠得羌侯君長金印四十三，銅印三十一，錫印一枚，及紫綬三十八，黄綬二枚，尉印五枚，皆簿入。』

印之以璽

《漢書》：孔子稱，封泰山，禪梁父，可得而數七十有二君。封者金泥銀繩，印之以璽。

牧守印

《公孫述傳》：多刻天下牧守印章，備置公卿百官。

五寸印

《後漢・祭祀志》：建武三十二年，告祠泰山。尚書令奉玉牒檢，皇帝以寸二分璽親封之，太常命人發壇上石。尚書令藏玉牒已，復石。覆訖，尚書令以五寸印封石檢。

五色印

《後漢・禮儀志》：五月五日，朱索五色印爲門户飾，止惡氣。

半章印

《十三州志》：有秩、嗇夫，得假半章之印。

十腰銀艾

《孔氏雜説》：漢時印綬，非若今之金紫銀緋長使服之也，蓋居是官則佩是印，罷則解之，故三公上印綬也。後漢張奂云：『吾前後十腰銀艾。』銀即銀印，艾即緑綬。十云者，一官一佩之耳。印不甚大。《淮南子》曰：方寸之印，丈二之組是也。

發冢取璽

王莽發故太后傅、丁二冢，取其璽綬。

六印磊落

蔡伯喈《釋誨》：或畫一策而綰印，或談終朝而執珪。連衡者六印磊落，合從者駢組流離。王僧孺表：還周鈕其六印，歸齊列其五鼎。

佩漢印

《西域傳》：凡國五十，自譯長、城長、君、監、吏、大禄、百長、千長、都尉、且渠、當户、將、相至侯、王，皆佩漢印綬，凡三百七十六人。

上印歸邸

《張安世傳》：何感（憾同）。而上印歸邸。

身逃亡印

《前漢·劉屈氂傳》：挺身逃，亡其印綬。

金銀印

魏武破袁紹，表擅鑄金銀印，孝廉計吏，皆往詣紹。

遺印不用

《孫堅傳》注：曩所得玉璽，乃古之遺印，不可施用。

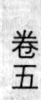

呼弟佩印

吴孫策病甚，呼弟權，佩以印綬。

姬佩后璽

《太平御覽》：孫皓内寵諸姬，佩皇后璽者多矣。

鴨頭雜印

《吴中紀》：孫皓造金璽六枚，有龜龍麟鳳璽，駝鴨頭雜印。

拜陵負璽

《宋書》：蔡興宗拜侍中，每正言得失，無所顧憚。孝武新年拜陵，興宗負璽。

年號小印

唐太宗自書『貞觀』二字，作二小印，又玄宗自書『開元』二小字，作一小印。御府寶藏書畫，往往有此印。

神皇璽

《唐書·武后傳》：自號聖母神皇，作神皇璽。

神靈璽

顏師古《封禪議》：神靈璽寶而弗用，由來無所施行。其六璽雖以封書，莫不披於群下。受命之璽，登封則用，昭事上元，表茲介福，休徵緯兆，豈因常貫。又封檢之璽，分寸不同，即事而言，請并更造。

負璽登樓

《唐書》：僖宗光啟二年，田令孜劫上如寶雞，上以傳國璽授神策軍使王建，負之以從，登大散樓。

金不供印

辛替否《諫中宗置公主府官疏》：陛下倍十增官，金銀不供其印，束帛無充於錫，遂使富商豪賈盡居纓冕之流，鬻伎行巫咸涉膏腴之地。

封印附計

《舊唐書·職官志》：凡天下制敕計奏之數，省符宣告之節，率以歲終爲斷。天下諸州則本司推校，以授勾官，連署封印，附計帳使，納於都省。

賜節鑄印

徐度《却掃編》：唐之方鎮，專制一方，宰相之外，他無與比。故賜節鑄印之禮特異。本朝但爲武官之秩，無復職掌，而賜節鑄印，猶踵故事。

盛印於囊

《唐鑑》：殿中監察以下職事，及進名改轉臺內之事悉主之，號爲端，他日稱之曰端公。屬其雜事者謂之雜端，最爲雄劇，盛印於囊。開元以來，殿中侍御史彈舉遺失，號副端。

八印

《舊唐書》：御史臺八印，曰『臺印』『隨從印』『左巡印』『右巡印』『監倉印』『監庫印』『監察印』『出使印』。

用廢官印

柳宗元《館驛使壁記》：大曆十四年，欽命御史爲之，史五人，承符者二人，皆有食。先是，假廢官之印而用之，貞元十九年，南陽韓泰告於上，始鑄使印而正其名。

試卷用印

唐昭宗時，貢院奏：舉人試前五日納紙，用中書省印付貢院，院司印鏁在內，往來不便，請祇用當司印。

分日知印

《宋・職官志》：宋承唐制，以同平章事爲宰相之職，無常員，有二人則分日知印押班，以丞郎以上至三司爲之。

輪日知印

《會要》：至道元年詔曰：自今參知政事宜與宰相輪日知印，正衙并得升都堂。

納三省印

宋寧宗開禧元年，以韓侂胄平章軍國事。論者論侂胄繫銜比吕夷簡省『同』字，則其體尤尊，比文彦博省『重』字，則其所與者廣，於是三省印并納其第。

銀青金紫

歐陽永叔曰：漢以後有銀青金紫之號。青紫，綬色。金銀，其所佩印章。綬，所以繫印者也。後世官不佩印，此名虛設矣。隋唐以來，有隨身魚，而青紫爲服色。所謂金紫者，乃服紫衣而佩金魚爾。唐李宗閔謂崔能賜紫衣金印，曰金印，繆也。今世自以賜緋服魚袋賜紫金魚袋結入官銜矣。今有階至金紫光禄大夫者，遂於結銜去賜紫金魚袋，皆流俗相承，不復討正也。

印綬隨葬

《夢溪筆談》：今人地中得古印章，多是軍中官。古之佩章，罷免遷死，皆上印綬。得以印綬葬者極稀。土中所得，多是没於行陣者。

《文獻通考》：宋元豐六年，詔臣僚所授印，亡殁并賜隨葬。

收印

《續文獻通考》：元至元十九年九月，敕各行省止用印一，餘者收之。及收諸位下印。

二十年，降太醫院爲尚醫監，收給銅印。

收印改寶

又，至元二十四年，桑哥言：北安王相府無印，而安西王相獨有印，實非事例，乞收之。諸王勝納合兒印文曰『皇姪貴宗之寶』，『寶』非人臣所宜用，因其分地改爲『濟南王印』爲宜。皆從之。

押字用印

《輟耕録》：今蒙古、色目人之爲官者，多不能執筆。花押例以象牙或木刻而印之。宰輔及近侍，官至一品者，得旨則用玉圖書押字，非特賜不敢用。

按，廣順二年，平章李穀以病臂辭位，詔令刻名印用，此押字用印之始也。

厭水灾印

盛熙明《法書考》：《嘯堂集古録》一百紙，王俅集也。中有古印文數十，其一曰『夏禹』，係漢巫厭水灾法印。世傳度水佩『禹』字，此印乃漢篆，所以知之。

軍旋上印

明太祖自京師達於郡縣，皆立衛所，大小相聯，以成隊伍。有事征伐，則詔總兵官佩將印領之，旋則上將印於朝，各回本衛，大將單身還第，權出朝廷。

改御史印

《續文獻通考》：洪武二十三年已改鑄監察御史印。先是，既分察院爲河南等十二道，每道鑄印二，其文皆曰『繩愆糾繆』。守院御史掌其一。每道置御史或五人，或四三人，以次差出分巡。其一藏於内府。有事則受印以出，復命則納之。至是左副都御史袁泰言各道印篆相類，乃命改其制。守院印十二，如浙江道則曰『浙江道監察御史印』。餘道并同。其巡按印則曰『巡按浙江監察御史印』，餘亦如之。惟浙江、江西、直隸十府州事繁劇，每道置印十，餘道皆五。

監督關防

《續文獻通考》：萬曆二年，鑄給監督徐州、淮安、臨清、德州、天津衛

關防。又給昌平管糧通判關防，令兼理居庸關商税。又給監收肅州倉臨洮府帶銜通判，固原州倉平涼府帶銜通判，靖虜、甘州、莊浪、西寧、洮州六倉鞏昌府帶銜通判，監收永豐倉同知各關防。是年又題准鑄驗糧關防一顆，付委官收掌。凡遇解到内府錢糧驗中，會同科道覆驗，鈐記關防，以防抵换。四年，添鑄南京户部監督銀庫關防。二十六年，户部奏議處海税事宜，給閩海商税府佐關防。

金鑄關防

又，明制文武臣領敕行事者，俱給關防，以銅爲之，其模制大小，雖相臣行邊與部屬無異。獨正德間，太監張永征安化王及再督三關，用金鑄。見楊一清所撰墓誌，楊與張永同事，所紀不謬。

真人金印

真人府有六品印，銅鑄。二品銀印，則英宗朝因使拜表回鑾有驗，鑄金易之，其文乃『正一嗣教大真人府之印』。道陵傳下玉印，其文乃『陽平治都功印』，雲篆也。

掌璽

《文獻通考》：漢初三璽，天子之璽自佩，行璽、信璽在符節臺。馬端臨云：尚符璽郎掌璽及符，符節令爲符節臺，率主符節事。

《唐六典》：秦有符璽令，齊置主璽令史於蘭臺，以侍書御史領之。後周天官府置主璽下士四人，分掌神璽、傳國璽與六璽之藏。唐因隋，置符璽郎四人。至天后，更名符寶郎。

《文獻通考》：宋大觀元年，制八寶成。詔令置官，尚書省請置符寶郎四員，掌寶于禁中。詳《制度》内。嘉定十六年七月，置奉安符寶所，建殿，以内臣掌之。

《存疑録》：明初設符璽郎，後改爲尚寶司。凡寶皆内尚寶監女官收掌，遇用則尚寶司以揭帖赴監，監請旨乃發。霍西陵《宫詞紀事》云：『記入深宫甫及笄，收藏玉璽裹黄綈。開函閲遍交金鎖，珍重龍章印紫泥。』乃賦掌

璽之事。

印曹

《晉·職官志》：侍御史所掌有五。一曰令曹，掌律令。二曰印曹，掌刻印。

《續文獻通考》：明各衙門印信俱禮部鑄印局專管鑄造，印信俱有定式。其後又有鑄換辨驗等例，凡開設各處衙門合用印信，劄付鑄印局，官依式鑄造給降。其有改鑄銷毀等項，悉領之。

監印官

《舊唐書》：凡施行文、公文應印者，監印之官審其事，目無差，然後印之。

集説

古道所存，一語一言，皆堪師法。況印章樸雅，古法罕傳，而可不爲詳稽博考哉！故披閲諸書，摘録論説之雅正，而不涉於呆版俗陋者，編次《集説》，别爲一類。

釋璽

劉熙《釋名》：璽，徙也。封物使可轉徙而不可發也。

許慎《説文》：璽，王者之印也。以守土，故從土。籀文從王。

釋印

《釋名》：印，信也。所以封物爲信驗也。亦言因也，封物相因付也。

許氏《説文》：印者，執政所持信也。徐鍇曰：從爪從卩，以持信也。

璽以玉

蔡邕《獨斷》：璽者，印也。印者，信也。天子璽以玉，螭虎鈕。古者尊卑共之。

璽書章印

馬端臨云：按，天子之所佩曰璽，臣下之所佩曰印。無璽書則九重之

號令不能達之於四海，無印章則有司之文移不能行之於所屬。此後世之事也，三代以前則未之聞。古者人樸俗淳而其用甚簡，後世巧詐日滋而防制益密，故璽書印章之用甚煩。

印信

《玉璽譜》：璽，印信也。在君則封册畿服，表信神祇；在臣則授職君上，顯用民下。

白帖：不言而信，示人以信。

龜鈕虎鈕

應劭《漢官儀》：印者，因也。龜者，陰也。抱甲負文，隨時蟄藏，以示臣道功成而退。

又，虎鈕者，虎爲獸長，取其威猛，以繫服群下也。

周正隆平

《相印經》：印有八角十二芒。凡印欲周正，上隆下平，光明潔清，如此

爲善。

相印

《相印書》：相印法本出陳長文，長文以語韋仲將、印工楊利從。仲將受法，以語許士宗，私以法占吉凶，十可中八九。仲將問長文從誰得法，長文曰：『本出漢世。』又，印工宗養以法語程申伯也。

考古印

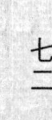

吾子行云：三代時無印，《周禮》雖有璽節及職金掌其媺惡，揭而璽之之說，注曰：『印，其實手執之節也。』正面刻字，如秦氏璽，而不可印，印則字皆反矣。古人以之表信，不問字反，淳樸如此。若戰國時蘇秦六國印，制度未聞。《淮南子·人間訓》曰：魯君召子貢，授以將軍之印。劉安寓言而失詞耳。漢晋印章皆用白文，大不過寸許，朝爵印文皆鑄，蓋擇日封拜，可緩者也。軍中印文多鑿，急欲行令，不可緩者也。古無押字，以印章爲官職信令，故如此耳。唐用朱文，古法漸廢。至宋南渡，少知此者，故後宋印文多繆。

漢晉印

又，漢晉諸印皆大不踰寸，惟異其鈕，以別主守之上下。諸侯王印槖駝鈕，列侯以龜，將軍以虎，於蠻夷則虵虺駝兔之屬，示《周禮》六節之義也。其字皆白文。常職多瓦鈕，令長印上作鼻鈕，可縮而已。其印文惟侯印就範中鑄字，極精緻，是擇日封拜，非急遽爲之也。虛爵者填其文以金銀。當時未有署僉，以印爲信，故軍中印皆鑿，官重者兩鑿成文，官卑者盡一鑿，或字疎密不一，則密文細而疎文肥。人名私印之六面者，多鑿，餘亦皆鑄。率多爲龜鈕。或二印一龜，身首藏合，謂之子母印。聞有三級壇鈕及天禄辟邪者，或大小爲兩面。晉印猶有漢法，惟私印間有朱文，字體與漢不異。

唐宋無佳印

王兆雲云：印章興廢，絶類於詩。秦以前無論，蓋莫盛於漢晉。漢晉之印，古拙飛動，奇正相生。六朝而降，乃始屈曲盤回如繆篆之狀。至唐宋，則古法蕩然矣。

詳定印文

《文獻通考》：宋英宗治平三年，命知制誥邵泌、殿中丞蘇唐卿詳定天下印文。泌、唐卿皆通篆籀。尋復廢罷，亦無所釐改焉。

識字製印

《梅菴雜志》：漢人識字者多，故製印章無所不妙。馬援，武臣也，上書言伏波印文之訛。後人尚未識字，徒膠柱而鼓瑟，欲求其工難矣。

印章宜小

怡軒先生云：古人官、私印俱不盈寸，秦制尤小。至李唐，正印章埽地之時，而『貞觀』『開元』等印仍無過於半寸。今人作私印，有大踰一二寸者，皆後世之俗尚，決不可爲其所惑而效之也。

印稱枚

《漢書》：明帝詔：『今送列侯印十九枚，諸王子年十五歲已上能趨拜者，皆令帶之。』則是印當稱『枚』，或稱『幾鈕』『幾顆』『幾方』『幾坐』，俱

俗謬無出。

古印足藏

王兆雲云：秦漢印章傳至於今，不啻鍾王法帖，何者？法帖猶藉工人臨石，非真手蹟，至若印章，悉從古人手出，刀法章法字法燦然俱在，真足襲藏者也。每一把玩，恍然令人有千古意。

印不可妄評

《梅菴雜志》：作印非以刻字整齊爲能事。要知古人之法，會字畫之意，有自然之妙。今人不知，凡能捉刀刻字，即自負擅長當時，群公貴客亦未之知，妄爲稱道，遂大行於天下。而此匠流本不知秦漢印爲何物，或見之，亦曰：『篆法不同於《説文》，刀法未造及整齊。』門外俗夫聞之，以爲妙論，即以評品天下之印。遂令人不知學古，止知字畫工整爲能也。嗚呼！魚目之於珠子，碔砆之於美玉，奚辯哉！

一名數印

王兆雲云：古人以印章殉葬，故一名有數十面者，至今有之，豈非爲不朽計哉！惜鐫刻者之不知爲何人也。

刻符書

韋續云：刻符書，鳥頭雲脚體，秦李斯、趙高皆善之，用題印璽。宋薛尚功《鐘鼎彝器款識》所載秦王傳國璽上書是也。

許慎《説文》序：秦書有八體，第五曰摹印。注云：蕭子良以刻符、摹印合爲一體。徐鍇以爲符者，竹而中剖之，字形半分，理應爲一體。摹印屈曲填密，則秦璽文也。子良誤合之。夫秦璽即秦始皇傳國璽，考之向巨源本及蔡仲平本所載，璽文皆如韋續所云鳥頭雲脚者。惟畢景儒本不同，然亦非屈曲填密。徐鍇所云或別有據乎，抑世傳璽文謬僞，不足信乎？

篆可入印

盛熙明《法書考》：張平子碑，崔瑗篆，多用篆法。不合《説文》，却可入印，全是漢篆法故也。

作印從古

楊廉夫云：凡字無害於義者，從衆可也。若有關於大義者，當從古。楷書尚然，而况以姓名作篆刻之印章乎？

圖書記

陸文量云：前人於圖畫書籍，皆有印記，曰：『某人圖書記。』今人以此遂概呼印爲『圖書』。正猶碑記、碑銘本謂『刻記』，銘於碑也，今遂以碑爲文章之名，莫之正矣！

都玄敬云：前代私印有某氏圖書，或又作某氏圖書之記，蓋惟以識圖畫書籍，而其他則否。今人私刻印章，概以『圖書』呼之，可謂誤矣。

怡軒先生曰：古來止有名印字印，名字之外別爲圖畫書籍間所用之印，名爲圖書記者，始於趙宋。金天會三年，得有宋內府圖書之印。此即圖書之始，而非古法也。至於稱名印概爲圖書者，乃世俗相承宋人之誤也。

印藪

王兆雲云：今坊中所賣《印藪》，皆出木版者，章法、字法雖在，而刀法杳然矣！必得真古印玩閱，方知古人之妙。

琱玉法絶

《李公麟傳》：公麟好古博學。紹聖末，朝近得玉璽，下禮官諸儒議。公麟曰：『秦璽用藍田玉。今玉色正青，以龍蚓魚鳥爲文，玉質堅甚，非昆吾刀，蟾肪不可治。琱法中絶，真李斯所爲不疑。』議遂定。

作印名人

《梅菴雜志》：印章之妙，莫過秦漢，而作印者泯然無聞。蓋斯時皆善摹印書學，增減結搆，運臂純熟，刀法沉著，自然合度，故悉盡美而非難能，故無傳也。魏晋間有陳長文、韋仲將、楊利從、許士宗，宗養并係，淵源相接，技藝神妙，并能觀印而識其休咎。至唐宋，雖或可考，一如今之剞劂者，不足録。元明間之吾衍、王厚之、朱應晨、吴敦復，有名仲徽者失其姓，吴璿、朱珪、文徵明、文壽承、顧汝修、王元楨、甘暘，皆能法古正今，乃後世之出類

拔萃者也。

文氏印

《蝸廬筆記》：文太史印章，雖不能法秦漢，然雅而不俗，清而有神，得六朝陳隋之意，至蒼茫古樸，略有不逮。今之專事油滑牽强成字者，諸惡畢備，皆曰文氏遺法，致爲識古家所薄。夫文氏之作，豈如是乎！

鈿閣女子

周減齋云：鈿閣女子韓約素者，梁千秋之侍姬也。千秋以能印稱。韓初學篆，遂能鎸，頗勝梁氏。故世之得約素章者，往往重于千秋云。

雜録

事欲精詳，雖偶言旁及，亦皆有助。今印章家得其微奥者頗罕，古書所見，奚堪輕置。兹以載籍閑文，并辭章名作之内涉及而不重複者，聊爲裒録，用廣博覽。

璽中有字

《凉州記》：吕光時，陳平仲得玉璽，博三寸，長四寸，光澤無文，向日視之，字在腹中，有三十四字。

蛟龍文印

《北史》：承明元年，上谷郡人獻玉印，有蛟龍之文。

種龍印

《陳留風俗傳》：巴吾縣，宋雜陳楚地，故梁國寧陵種龍鄉也，今其都印文曰『種龍』。

鹿形陷印

段成式《酉陽雜俎》：代宗即位日，慶雲見，黄氣抱日。初楚州獻定國寶一十二，第十曰『玉印』，大如半手，理如鹿形，陷入印中。

胡字印

《法書考》：唐太平公主駙馬武延秀玉印，胡書四字，梵音云『三藐毋馱』。

飛白字印

《嘉祐雜志》：李昌言處見一飛白『鳳』字印。

象形文印

宋子虛云：嘗見古印中有如獸形者、禽形者，又有如一器一物者，甚古樸可愛，即所爲象形文也。

製陶印

《陳氏雜録》：吳門周丹泉能製陶印，以埏土刻印文或各類鈕式，皆由火範而成，色如白定而文亦古。

押字小璽

宋徽宗好畫，畫後押字用『天水』及『宣和』『政和』小璽，或用瓢印，虫魚篆文。

書畫印

宋高宗書畫皆妙，上用乾卦印。晚居北内，多用『太上皇帝之寶』『德

壽殿寶』『御府圖書』。

天生印文

安化北濱江畔上有天生印文八顆，陰雨，其文益見。

馬印

《北史·魏孝文帝紀》：軍給璽印傳符，次給馬印。

《唐六典》：諸牧監凡在牧之馬皆印，印右髆以年辰，尾側以監名，皆依左右廂。若形容端正，擬送尚乘，不用監名。二歲始春則量其力，又以『飛』字印印其左髀髆，細馬、次馬以『能形』印印其項左。送尚乘者，尾側依左右間印以三花。其餘雜馬送尚乘者以『風』字印印左髆，以『飛』字印印左髀，官馬賜人者以『賜』字印，配諸軍及充傳送驛者以『出』字印，并印左右頰也。

佩印制虎

《抱朴子》：入山佩黄神越章之印，見新虎跡，以順印印之，虎即去，以逆印印之，虎即還。

白章印

又，古之入山者佩黄神白章印，其闊四寸，其字百二十，以封泥著之。所在之四方各百步，則虎狼不敢近。

棗心印

《初學記》：黄君制使虎豹法，曰道士當刻棗心作印，方四寸也。

桃根印

李石《續博物志》：桃根爲印，可召鬼。《海録碎事》：冢上桃根方可召。

印封其户

《列仙傳》：方回者，堯時隱人也。隱於五柞山中，爲人所劫，閉之室中。回化而得去，更以方回印封其户。時人言，得方回一丸泥，門户不可開。

朱宫印

《雲笈七籤》：潛山儲君，黄帝所命，爲衡岳儲貳，今職似輔佐者也。道士入其山者，潛山君服紫光綉衣，戴參靈之冠，佩朱宫之印，乘赤龍之車而來迎子。

三庭印

又，青城丈人，黄帝所命也，主地仙人。丈人領仙官官人。道士入山者，見丈人服朱光之袍，戴蓋天之冠，佩三庭之印，乘斜車從衆靈而來迎子。

膝上有印

謝自然，女道士也。果州人，居大方山頂，常習《道德經》《黄庭内篇》於金泉山一十三年，晝夜不寐。兩膝上忽有印四，壖若朱，有古篆六字，粲如白玉。忽於金泉道壇有雲氣遮匝一山，散漫彌久，仙去。

夢印

夢書印鈎，爲人子所録也。夢見印鈎人得子。含吞印鈎，懷姙婦也。鈎從復出，爲其乳。失印，子傷墮而懷之。妻有子以口含之，子爲宅中。

印魚

《酉陽雜俎》：印魚長一尺三寸，額上四方如印，有字。諸大魚應死者

先以印封之。

《述異記》：城陽縣南有堯母慶都墓，廟前有一池，魚頭間有印文，謂之印頰魚。若非祀者，捕而不得。

腰間有印

周密《齊東野語》：野婆，獸名，形似人。出南丹州，黃髮椎髻，裸形跣足，儼然若一媪也。群雌無牡，上下山谷如飛猱，自腰已下有皮蓋膝。每遇男子，必負去求合。嘗爲健夫所殺，死以手護腰間，剖之，得印方寸，瑩若蒼玉，有文類符篆也。又，雄鼠卵有文如符篆，治鳥腋下有鏡印，則野婆之印篆非異也。

符璽駢字

《莊子》：焚符破璽，而民樸鄙。

《鄧析書》：爲之符璽以信之，則并與符璽而竊之。

《西京賦》：降尊就卑，懷璽藏紱。

庾信《哀江南賦》：爾乃假刻璽於關塞，稱使者之酬對。

謝莊文：和芝潤瑛，鐫璽乾封。

沈炯表：執石趙而求璽，斬姚秦而取鐘。

北齊樂章：圖璽有屬，揖讓惟時。

庾信詩：赤鳳來銜璽，青烏入獻書。

印章駢字

薛廷珪授邛、漢二刺史，制亦佩專城之印，往俞連帥之求。

李磎《修鼓角樓記》：劉公既挈防禦印，登城西而望，皆拒戰，後火燼。

《嗣秀王表》：翠琰颺徽，綴洪支於綿帙；黃金襲印，奠檇李以苴茅。

吳質《答東阿王書》：思投印釋黻，朝夕侍坐。

庾信啟：澠池置陳，解鄧禹之圍；函谷開關，削王元之印。

劉禹錫《令狐楚家廟碑》：密印纍纍，邦族聳慕。

李商隱狀：謬當廉印，合啟幕庭。

又，《代安平公遺表》：對印執符，碎心殞首。

顧雲啟：斬衣報命，顧印酬恩。

李劉啟：姑令副貳之車，且護方寸之印。

吕温序：朝廷命公盈虚東南，漕引吴楚。我若無事，往往佩聯印，擁大蓋，枉道而過舊山林壑之間，琴詩不廢。

真德秀啟：伫上印於龍江，即演綸於鳳閣。

張説《安樂郡主花燭行》：黄金兩印雙花綬。

盧照隣《失群雁詩》：金龜全寫中牟印，玉鵠當變萊蕪釜。

高適詩：始佩仙郎印，俄兼太守符。

岑參詩：縣花迎墨綬，關柳拂銅章。

白居易詩：不被馬前提省印，何人知道是郎官。

又：换印雖頻命未通，歷陽湖上又秋風。

又：幾時辭府印，却作自由身。

賈島詩：捲簾黄葉落，鎖印子規啼。

又：一主長江印，三封東省詩。

李賀詩：情知一丘趣，不謝千里印。

李洞詩：月白吟牀冷，風清直印閑。

吴均詩：肘懸辟邪印，屋曜鴛鴦瓦。

杜牧詩：泥情斜拂印，别臉小低頭。

劉得仁詩：侯吏齎魚印。

孫逖詩：已佩登壇印，猶懷伏奏香。

密璹詩：太原珍玩名天下，舊跡猶憑古印章。

徐積詩：家中但乏青囊印，坐處須看黄卷書。

卷六

評論

事物是非，必憑品論，印豈非然？但邪正殊途，意見各異。不爲分辨，一如涇渭同流，令人何從去取耶？是以撮録前人切正名言，列爲《評論》，以著標準。

印品

甘旭云：印有三品，曰神，曰妙，曰能。輕重有法中之法，屈曲得神外之神，筆未到而意到，形未存而神存，神品也。宛轉得情趣，疎密無拘束，增減合六義，那讓有依顧，而無雕琢之痕，妙品也。長短大小，中規矩方圓之制，繁簡去存，無懶散局促之失，清雅平正，能品也。

怡軒先生云：氣韵高舉，如飛天仙人遊下界者，逸品也。體備諸法，錯綜變化，莫可端倪，如生龍活虎者，神品也。非法不行，奇正迭運，斐然成文，

如萬花春谷者，妙品也。去短集長，力追古法，自足專家，如範金琢玉，各成良器者，能品也。

三代印

甘旭云：《通典》以爲『三代之制』，人臣皆以金玉爲印，龍虎爲鈕。其文未考，或謂三代無印，非也。《周書》曰：湯放桀，大會諸侯，取璽置天子之座。則有璽印明矣。虞卿之棄，蘇秦之佩，豈非周制乎？

秦印

秦之印章，少易周制，皆損益史籀之文，但未滿二世，其傳不廣。

漢印

漢印悉因秦制，而變其摹印篆法，增減改易。古樸典雅，莫外乎此矣。

魏晉印

魏晉印章，本乎漢制，間有易者，亦無大失。是以雜於漢印之内，一時難以辨別也。

六朝印

六朝印章，因時改易，漸作朱文。白文印章之變，始基於此。然猶未至謬訛也。

唐印

李唐印章，因六朝作朱文，日流於訛。多曲屈盤回，毫無古法。印章至此，邪謬甚矣！

宋印

宋承唐制，文愈支離。不宗古法，多尚纖巧。更其制度，或方或圓。文用齋堂、館閣等字。校之漢魏，大相悖矣。

元印

元時印章，絶無知者。至正間，吾子行、趙松雪意在復古，第工巧是飭，而古樸之妙，猶有未然。

明印

明官印，文用九疊，而以曲屈平滿爲主，不類秦漢。階級、崇卑以分寸别之。私印本乎宋元。隆慶間，武林顧氏集古印爲譜，行之于世。印章之荒，自此破矣。好事者始知賞鑑秦漢印章，復宗其制度。時之《印藪》、印譜疊出，急於射利，而又多寄之棗梨，剞劂者不知文義有大同小異處，一概鼓之於刀，豈不反爲之誤？博古者知邪正法，遂得秦漢之妙矣。劉欽曰：印章每字篆皆九曲，蓋乾元用九之義。

玉印

三代以玉爲印，唯秦漢天子用之。私印間有用者，取君子佩玉之意。其文温潤有神，古者愈妙。

金印

金印，漢王侯用之，私印亦有用者。其文和而光，雖貴重，難入賞鑑。古用金印，以别品級耳。

銀印

漢二千石，銀印龜鈕，私印因之。其文柔而無鋒，刻則膩刀，入賞鑑不清。

銅印

古今官私印俱用，其文壯健而有回珠。古者佳，新者次之。製有鑿、刻、鑄，亦有塗金商銀者。

象牙印

漢乘輿雙印，二千石至四百石以下皆用象牙爲之，唐宋用以爲私印。其質軟，朱文則可，白文難於得神，易涉死版。時俗以作朱文之深細者。

犀角印

漢乘輿雙印，二千石至四百石以黑犀爲之，餘印不用。好奇者用以爲私印。其質粗軟，久則歪斜，不足貴也。

寶石印

寶石，古不以爲印，私印止存一二。今未有製之者。且艱於刻，其文澀而少潤，遜於玉者多矣。

瑪瑙印

瑪瑙印，古亦甚罕，官印間有之。硬而難刻，其文剛燥少温，用爲私印近俗。

水晶印

水晶，古無以爲印者，近世有之。其質堅而難刻，其文滑而不涵，用之飾玩則可。

石印

石，古不以爲印，唐宋私印始有之。不耐久，故不傳。唐武德七年陝州獲石璽一枚，文與傳國璽同。石亦有數種，燈光、凍石爲最，其文俱潤澤有光，別有一種丰神，即金玉難優劣之也。

磁印

古無磁印，唐宋始有以爲私印者。不易刻，其文似玉而粗，其制有龜瓦鼻鈕，舊之佳者，亦堪賞鑑。

官印

怡軒先生云：古之官印與私印無異，至唐宋漸大，而文爲盤屈。愈後

愈謬，至本朝，盡易古式，字畫必曲至九叠，闊邊朱文，爵尊者大三寸餘，卑者亦幾二寸，絕無意趣。間有好古者，仍仿漢制同名印，於翰墨間用之。是印宜白文，大不逾寸，爵尊者末用『章』字，常職用『印』字，或不用『章』『印』字亦可，但勿多字隨俗，有悖古意。

名印

甘旭云：上古用印，以昭信也。當用名印爲正，姓名之下止可加『印』字及『印信』『印章』『之印』『私印』等字。如『氏』字及閑雜字樣俱不可用，用則與古不合矣。

吾子行云：名印不可妄寫，姓名相合，或加『印』『章』等字，或兼用『印章』字，曰『姓某印章』，不若只用『印』字爲正也。二名者可回文寫，姓下著『印』字在右，二名在左是也。单名者曰『姓某之印』，却不可回文寫。名印内不得著氏字。

臣印

甘旭云：漢印用臣某者，不獨用於君前，其同類交接亦用之。臣者，男子之賤稱，謂自謙耳。

盛熙明云：武琦六面印内有著『臣』字者。王應先曰：秦漢間人相語往往稱臣，不於君前然後稱臣也。王寀曰：武琦六面印。如言事言疏等，文自有序，則稱臣者當徹君前，其制度字畫纖巧，不類秦漢，疑六朝物。

怡軒先生云：古人名印内有『臣』字者，原非必於君前始用。令武琦之六面印，『臣』字與『言疏』等并列，則於君前用之也。兩説俱是，微覺其執耳。

之字印

盛熙明云：凡印内用『之』字者，其來久矣。太初元年夏五月，正曆以正月爲歲首，色尚黄，數用五。注云：漢用土，數五，五謂印文，若丞相曰『丞相之印章』，諸守相卿印文不足五字者，以『之』字足之，皆太初以後五字印也。後世不然，印文榜額有三字者足成四字，五字者足成六字，但取端正耳，

非『之』字本意也。

表字印

吾子行云：表字印只用二字爲正式，近人欲并加姓氏於其上，曰某氏某某，非也。若作某某父，古雖有此稱，係他人美己，尤不可入印。漢人三字印，非複姓及無『印』字者，非皆名印，蓋字印不可以『印』字亂耳。漢張長安字幼君，有印曰『張幼君』，唐吕温字化光，有印曰『吕化光』，右一字，左二字，此亦表字印式也。

甘旭云：秦漢止有名印，晉至六朝間有表字印，唐宋表字印始盛行也，非古制矣。如用，止宜二字，不可加『印』字。或用姓氏字猶可。近有用某人父者，訛謬特甚。父通作甫，男子之美稱，用印而自美，何耶？

地名小字印

《擷芳録》：余見『江左周郎』四字銅印，白文龜鈕，塗金斑駁已盡，色如古墨，光彩照人，自非晉後物。漢末江南周公瑾稱周郎，諒其遺也。常有以地名小字刻印者，大都仿效是式，然亦古人偶然之作，終非大方。

道號印

吾子行云：道號，唐人雖有，不曾有印也。

甘旭云：時用號印，如某道人或某山人、某某子之類，古無此制，唐宋近代始有之，詩畫翰墨間用之亦可。

堂室齋閣印

甘旭云：堂館齋閣雜印，古制原無，始於唐宋，用爲書畫引首。以閑雜俗字爲之，非矣。

吾子行云：軒齋等印，古無此式，惟唐相李泌有『端居室』白文玉印，後或爲法。白文不若從朱文。唐人雖有號，未嘗作印，三字屋匾却有之。

書柬印

甘旭云：秦漢名印之外，絶無他製。後晉朝及六代間書簡奏疏上用某人啟事、言事、白事、白牋、言疏等印者，極當。近人於書柬上用某人頓首、

再拜、敬緘、謹封、護封者，俱時俗所尚，決不可從。大約書柬中及封固處，止用一名印足矣。

詩句印

怡軒先生云：後人不遵古制，閑雜字樣俱用作印，至有以詩句作印者，亦屬非古。然能製作清雅，用於翰墨，不至惡俗，從衆亦可。但止可取名作，或四五七言一句，斷不可多字陋刻，致類木記耳。

成語印

徐元懋云：先君子晚年刻一印，曰『空谷一叟』，此出《漢書》蕭望之之言。先君抱才未遇，因以自寓也。嘗見湛甘泉有印曰『吏禮兵三部尚書』，予竊怪之。及讀《宋史》，東坡爲吏禮兵三部尚書，蓋用成語。文衡山庚寅生，刻印曰『惟庚寅吾以降』，此出《楚詞》。有效之者改曰『惟甲子吾以降』，則無出矣。怡軒先生曰：成語雖云有出，已非古意，若此妄作，何足道哉。今人欲用，亦依詩句印可也。

引首印

《梅菴雜志》：古來印章官爵而外，止有名印，即表字亦不多見。宋後取閑雜字作印，印於書幅之首，謂之引首印，極爲杜撰可笑。今人遵守而不敢有違，何歟？

龍虎

《考古紀略》：古人名印中偶見字傍有龍虎環抱者，其字法精妙，人皆知之，而龍虎形像略存其意，亦有一種古樸處，最是可愛。後人學之不善，作意描畫，反覺不堪。夫龍虎原非印中必須，古印内不過偶一見之。與其學而貽誚於識者，何如不學爲藏拙耶？

白文印

甘旭云：古印皆白文，本摹印篆法，則古雅可觀。不宜用玉箸篆，用之不莊重。亦不可作怪。下筆當壯健，轉折宜血脉貫通，肥勿失於臃腫，瘦勿失於軟弱，得心應手，妙在自然。牽强穿鑿者，非正體也。

吾子行云：白字印皆用漢篆，平方正直，字下不可圓，縱有斜筆出，當取法寫過。如崔子玉寫張平子碑上字，及漢器上并碑蓋印章等字，最第一。其印文必逼於邊，不可空，空且不古。

甘旭云：上古璽書封以紫泥，餘皆折簡封蠟，用白文印印於上。其文突起曰陽。後代製有印色印之，其文虛白曰陰。古所爲陽文者，言其用，不言其體。

趙彥衛云：古印作白文，蓋用以印紫泥，紫泥封誥是也。

朱文印

甘旭云：朱文，秦印有之，漢印則未見，至六朝唐宋時尚此文。宜清雅流動而有意，不可太粗，粗則俗。亦不可多曲疊，多則類唐宋印之版而無神矣。

吾子行云：朱文印或用雜體篆，不可太怪，擇其近人情者，免費詞說。其印文不可逼邊，須當以空中空白得中處爲相法，庶免印出與邊相倚也。字宜細，於四旁有出筆，皆滯邊者。邊須細於字，邊若一體，印出時，四邊虛，紙昂起，未免邊肥於字也。黏邊朱文，建業文房之法。

朱白相間印

甘旭云：古印有半白半朱者，有一白一朱相間者，又有一朱三白、一白三朱者，二朱相并、二白相并者，皆漢後之制。如效此章法，當詳其字意可否，不致牽強穿鑿，方可稱善。

回文印

古用回文印者，各有取意。如雙字名印俱作回文，姓字在前，名字在後，若一順寫，則名字必分爲二矣。此古用回文者取二字相連之意也。其單字名者，俱順寫，以姓名在前後，或加『印』字，或私印之『印』字。若近代齋館間雜印用此法，則非理矣。

三字印

盛熙明云：三字印，一邊一字一邊兩字者，以兩字處與一字處相等，不可兩字中斷，又不可太相接。凡印文中有一二字偶有自然空處不可映帶者，聽其自空。古印多如此。文下有空處懸之最佳，不可妄意伸屈務填滿。若

寫之得法，自不覺空處。又凡印文中有偏口，如字上口須寬，使口中見空稍多，方渾厚。漢印如此。

四字印

吾子行云：四字印，若前二字交界有空，後二字無空，須當空一畫地别之。字有有脚無脚，故言及此。不然一邊見分，一邊不分，非法度也。

五字印

漢太初時，數用五，故官印皆作五字。其式作三行，前二行皆二字，第三行單一『章』字或『印』字，令長以稱副之。此外五字古印甚少。作者均宜仿之此法。今見有將前行置一字以配後二行疏密，或有中行置一字使中間疏兩傍密者，終有牽强之弊，不若末行一字之爲自然也。

鑄印

《梅菴雜志》：鑄印字由範中而出，其文爽朗而地光平。雖意趣減於刻鑿，其渾樸莊重自不可及。

刻印

甘旭云：刻印以刀成文。軍中即時授爵，多刻印。刻者，更有妙處，宜法之。

鑿印

鑿印，以鎚鑿成文，亦名曰『鎸』。成之甚速，其文簡易有神，不加修飾，意到筆不到，又名『急就章』。軍中急於封拜，故多鑿之，以利於速。

急就章

《賈子説林》：軍中急於封拜，故印於馬上鎸鑿成文，所爲漢人急就章也。

《擷芳録》：古印中有急就章者，急於用而疾速成之也。故其文疎者自疏，密者自密，絶不作意，最爲自然。相傳於馬上鑿之，則不可考矣。

碾印

甘旭云：玉及水晶、瑪瑙等印，堅不易刻，故多碾者。工人雖巧，鮮知篆法，不能令有意趣，且轉折結搆未能流暢，不足以供賞鑑。

《梅菴雜志》：碾者不過用鋼輪之力，以爲横直之文，非如用刀可運用己意，所以字畫絶無意趣。非全係工人之不善，其道如是耳。

印式

秦漢印俱方者，間有條者，皆正式。偶有軍曲用腰子形者，其意莫考。寧陽丞印用圓者，字體覺方，恐後人磨圓，未可辨也。至有葫蘆及爐鼎并異怪形式者，皆宋元近代之俗尚，不可稱印而入賞鑑耳。

古印之大，不逾一寸，今凡仿製，宜守法之。若造作太大，易涉俗陋，且字法不能有意趣，如書籍簡版，只堪印出字畫而已。不特小也，厚薄亦然。古印厚者未有至半寸，薄不過分許，或二三分，綰以組綬，印用自便，不必厚也。今有厚至寸餘及二三寸者，皆非古法。

印鈕

秦漢魏晋六朝印鈕，有螭、龜、辟邪、虎、獅、象、駝、狻猊、豸、羊、兔、獸、鳧、蟾、蛇、壇、覆斗、瓦鼻、環亭等式，用以别主守，定尊卑。近以牙、石作玲瓏人物者，雖奇巧可人，不過俗尚，典雅質樸弗如古也。

《考古紀略》：古人私印，有爵者按式鑄鈕，無爵者隨人所好，不必以官鈕而改作。古者尊卑共之，用非僭也。

鎸製

有物有則，見之經典可徵。物之於法，不容少緩者也。今印章一道，識者頗罕。若不以名人之法明之，奚免執俗見而反古道乎？聊取前言，以當規矩。

摹印法

李陽冰云：摹印之法有四：功侔造化，冥受鬼神謂之神，筆畫之外得微妙法謂之奇，藝精於一、規矩方圓謂之工，繁簡相參、布置不紊謂之巧。

作印法

怡軒先生云：作印之法，并無一定。只要轉折有情，章法自然，無拘束

懶散之失，有得神得趣之妙，則細亦可，粗亦可，光亦可，不光亦可，或細或粗亦可，棱角宛然亦可，整齊端正亦可，參錯不經亦可，刓缺破損亦可。但細則俱細，粗則俱粗，粗細相間、整齊參錯皆然。若光而滑、粗而浮、細而弱、整齊而呆板、參錯而失度，無可救藥矣。

摹印篆

吾子行云：摹印法，漢有摹印篆，只是方正，篆法與隸相通。後人不識古印，妄加盤屈，且以爲法，大可笑也。多見故家收藏漢印，字皆方正，近乎隸書，此即摹印篆也。凡屈曲盤回，唐印始如此。今碑刻有顏魯公官誥尚書省印可考。

甘旭云：摹印篆，漢八書之一，以平方正直爲主，多減少增，不失六義。近隸而不用隸之筆法，絶出周籀，妙入神品。漢印之妙，皆本乎此。

王兆雲云：印章文字，非篆非隸，亦非不篆非不隸，别爲一種，謂之摹印篆。其法平方正直，繁則損，少則增，與隸相通，然一筆之損益皆有法度。後世不知，以許氏《説文》篆，拘拘膠柱而鼓瑟，至好自用者則又杜撰成文，去古益遠，故漢晋以後謂之無印章可也。

《梅菴雜志》：印篆之病有三：聞見不博，無淵源，一也。偏旁點畫，輳合不純，二也。經營位置，妄意疎密，三也。

章法

甘旭云：布置成文曰章法。欲臻其妙，務準繩古印，明六文八體之增減，畫之疎密、那讓、取巧，當本乎正，使相依顧而有情，一氣貫串而不悖，始盡其妙。

增減

漢摹印篆中有增減之法，皆有所本，不礙字義，不失篆體，增減得宜，見者不訾其異，謂之增減法。時人不知，妄意增減，則失其本，所謂差之毫釐，謬於千里者也。

怡軒先生云：印篆增減一法，必須詳稽漢隸。蓋漢隸每多益簡損繁之

妙，作印仿其法，而仍用篆書筆畫，則得之矣。斷不可杜撰，妄爲變亂古文，有悖增減之義。

那移

甘旭云：作印字有稀密不均者，宜以此法。第不可弄巧作奇，故意那湊。有意無意，自然而然方妙。

學古

袁三俊《篆刻十三略》：秦漢六朝古印，乃後學楷模。猶學書必祖鍾、王，學畫必祖顧、陸也。廣蒐博覽，自有會心。

章法

又，章法須次第相尋，脉絡相貫。如營室廬者，堂户庭除自有位置，大約於俯仰向背間望之一氣貫注，便覺顧盼生姿，宛轉流通。

結構

結構不精則筆畫散漫，或有密實，或有疏朗，字體各別，務使血脉貫通，氣象圓轉。

滿

滿，非必填塞字畫，使無空隙。字無論多少，配無論方圓，總以規模闊大、體態安閑爲務，不使疎者嫌其空，密者嫌其實，思過半矣。如徒逐字排列，即成呆板。

縱横

縱横，專論刀法，用大指與食指中指撮定刀幹，再將無名指小指抵在刀後，中正其鋒，運以腕力，勢若風飄陣馬，所向無前，神致當自生也。

蒼

蒼，兼古秀而言。譬如百尺喬松，必古茂菁葱，鬱然秀拔，斷非荒榛斷梗、滿目蒼凉之謂。故篆刻不拘粗細模糊，隱現剥蝕，俱尚古秀，不可作荒穢態。

光

光，即潤澤之意。整齊者固無論矣，亦有鋒芒畢露而腠理自是光潤。

否則似物迷霧中，不足觀也。倘運腕無力，僅事修飾，必犯油滑之病，又非所宜。

沉著

沉著者，不輕浮，不薄弱，不纖巧，樸實渾穆，端凝持重，是其要歸也。文之雄深雅健，詩之遒鍊頓挫，字之古勁端楷，皆沉著爲之。圖章至此方得精神。

停匀

人身豐瘠不同，而有肉有骨則一也。圖章亦在骨肉停匀。骨立者未免單薄，而臃腫膨脝又鄰於俗。且有肉無骨，若韓幹畫馬，其不貽凋喪之譏者幾希。

靈動

靈動，不專在流走。縱極端方，亦必有錯綜變化之神行乎其間，方能化板爲活。

寫意

寫意，若畫家作畫，皴法、點法、鉤染法體數甚多，要皆隨意而施，不以刻畫爲工。圖章亦然，苟作意爲之，恐增匠氣。

天趣

天趣在丰神跌宕，姿致鮮舉，有不期然而然之妙。遠山眉，梅花妝，俱自天成，豈俗脂頑粉所能點染。

雅

古人有云：惟俗不可醫。人有服飾鮮華，輿從絡繹，而駔儈之氣令人不可耐者，俗故也。篆刻家諸體皆工，而按之少士人氣象，終非能事。惟胸饒卷軸，遺外勢利，行墨間自然爾雅。要恐賞音者希，此中人語，不堪爲外人道也。

刀法

甘旭云：運刀之法，宜心手相應，自各得其妙。然文有朱白，印有大小，

字有疎密，畫有曲直，不可一概率意。當審去住浮沉、宛轉高下，則運刀之利鈍，大則腕力宜重，小則指力宜輕；粗則宜沉，細則宜浮。曲則宛轉而有筋脉，直則剛健而有精神，勿涉死板軟俗。墨意則宜兩盡。

怡軒先生云：用刀之病有六：心手相乖，有形無意，一也。轉運牽强，天趣不流，二也。因便就簡，顛倒苟完，三也。鋒力全無，專求工緻，四也。形貌雖具，終未脱俗，五也。或作或輟，成自兩意，六也。

王兆雲云：印難莫難於刀法，章法、字法俱可學而至，惟刀法之妙如輪扁斲輪，痀僂承蜩，心自知之，口不可言。

刻玉印法

《洞天清録》：近刻玉印，并無昆吾刀蟾肪之説，惟用真菊花鋼煆而爲刀，闊五分，厚三分，刀口平磨，取其平尖鋒頭爲用。將玉印以木牀鈐定，用刀刻之。一刀弗入，再鍥一刀，至三鍥玉屑起矣。若欲以力勝，則滑而難刻。運刀以臂，更置礪石於旁，時時磨之，使鋒芒堅利，無不勝也。别無他術。

甘旭云：古刻玉印以昆吾刀。《周書》云：昆吾氏獻刀，切玉如脂。今無此刀，時以藥治刀刻之，或以爲藥塗玉刻者，謬耳。

《聞見録》：曾見一雲間人，用藥草煮刀而刻玉印，刻畢置地一宿，藥性即退，用則復煮。但係陋劣庸匠，問何草名，秘不肯言。用金剛鑽刻玉者，近日有之。

鑄印法

《梅菴雜志》：鑄印法有二，一曰翻沙，一曰撥蠟。翻沙以木爲印，覆於沙中作範，如鑄錢法。撥蠟以黄蠟和松香作印，刻文製鈕，塗以焦泥，俟乾，再加生泥火煨，令蠟盡泥熟，鎔銅傾入之，則文字鈕形俱清朗精妙。

附印印法

《鄙事蕟談》：凡印之平正者，每印墊紙，切不可厚。大寸許者，十餘層。次之數層，再次者五六層。最小者一二層足矣。擇平正處印之，最易得神。若古印之刓缺而破者，又須厚墊，不可一概論也。其紙并須精細。

拭印

《蝸廬筆記》：印章用畢，當以新絮拭之。他物不能去印文中垢膩，惟新絮能去，須用之。

卷七

器用

製作印章，而爲之詳求古意，細考前軌，稍云備矣。然而相副之具非精，製作之器失度，何能允稱而助其美乎？是以凡諸須用，考古辨今，爲之附贅。即鑄鐫微物，無或少遺，以俟有識者採擇焉。

綬 按，組綬多與璽印雜見，有已録入前卷者，茲卷不復贅

《漢官儀》：綬長一丈二尺，法十二月；廣三尺，法天地人。此佩印之組也。又云：綬者，有所承受也。所以別尊卑、彰有德也。又《説文》：綬，韍維也。韍音弗，俗作紱。

諸綬制度

董巴《輿服志》：戰國解去紱佩，留其絲襚，以爲章表。秦乃以采組連結於襚，光明章表，轉相結綬，故謂之綬。乘輿：黄赤綬，五采，黄赤縹紺，

淳黄圭，長二丈九尺，五百首。太皇太后、皇太后、皇后皆同。又《漢官儀》曰：乘輿綬，黄地骨，白羽，青絳緣，五采，四百首，長二丈三尺。諸侯王：赤綬，四采，黄縹紺，淳赤圭，長二丈八尺，三百首。公主、大貴人、諸侯同。又《漢官儀》云：四采，絳地骨，白羽，青黄赤緣，二丈一尺，二百六首。侯：地絳紺縹，三采，百二十首，長二丈八尺。諸國貴人、相國：緑綬，三采，緑紫紺，淳緑圭，長二丈一尺，二百四十首。公、侯、將軍：紫綬，二采，紫白，淳紫圭，長丈七尺，百八十首。公主、封君同。又《漢官儀》云：丞相、御史大夫、匈奴亦同。九卿、中二千石：一云青緺綬。緺，紫青色。二千石：青綬，三采，青白紅，淳青圭，長丈七尺，百二十首。《漢官儀》云：綬，羽青地，桃花縹，長丈八尺。自青綬已上，縌音逆。皆長三尺二寸，與綬同采，而首半之。縌者，古佩襚也，佩襚相迎受，故曰縌。紫綬以上，縌綬之間，得施玉環玦。千石、六百石：黑綬，三采，青赤紺，淳青圭，長丈六尺，八十首。《漢官儀》云：黑綬，白羽，青地，絳二采，長丈七尺。四百、丞尉。三百、長相。二百、百石：皆黄綬，一采，淳黄圭，長丈五尺，六十首。《漢官儀》云：黄綬緣，八十首，長丈七尺。又云：自黑綬以下，縌綬長三尺，

與綬同采而首半之。百石：青紺綬，一采，宛轉繆織圭，長丈二尺。凡先合單紡爲一絲，四絲爲一扶，五扶爲一首，五首成一文。文采淳爲一圭。首多者絲細，少者絲粗，皆廣尺六寸。紱，又作綍。《丙吉傳》：使人加綍而封之。師古曰：綍，繫印之組也。

宮女玄綬

《拾遺録》：漢成帝時，乘輿服皆尚黑，宮中美女服皂，班姬以下皆玄綬⿱殹石珮。

乘輿綬

《漢名臣奏》：大司空朱浮奏曰：車府丞，玄黄綬。詔：乘輿綬，五采，何黄多也，可更用赤絲爲地。

丙丁文綬

《博物志》：太僕朱浮言：詔書云，百官皆帶王莽時綬，又不齊，因前袁安故綬，李涉等六家所織綬，不能具丙丁文，募能爲綬作丙丁文者。又云：六安都尉留應能爲丙丁文，應募，上謹處武庫給食。三十日綬成，賜帛五十匹。

青羽

又，漢光武嫌二千石綬不青而細，朱浮議更用青羽。

印系

《後漢志》：佩印系，諸侯王以下以綔音護。赤絲蕤，縢綔各如其印。

華綬

《續漢志》：皇后服，金題白珠璫，繞以翡翠，爲華綬。

五色綬

《西京雜記》：趙飛燕爲皇后，上遺其娣五色文綬。

靈飛綬

《漢武帝内傳》：西王母交帶靈飛綬，上元夫人佩鳳文臨華綬。

佩兩綬

《漢書》：金日磾兩子賞、建，俱侍中，與昭帝同卧起。賞爲奉車都尉，

建駙馬都尉。及賞賜侯，佩兩綬。上謂霍將軍曰：『金氏兄弟兩人，不可使俱兩綬耶？』霍光對曰：『賞自嗣父侯耳。』上笑曰：『侯不在我與將軍乎？』光曰：『先帝之約，有功乃得封侯。』時年俱八九歲。

解綬以賜

《東觀漢記》：李忠，字仲都，發兵奉世祖。封武固侯。時無綬，上自解所佩綬以賜忠。

帶三綬

又，馬防爲車騎將軍、城門校尉，置掾史，位在九卿上，詔封潁上侯，特以前參醫藥，勤勞省闥，以襄城亭千二百户增。防身帶三綬，寵貴至盛。

青緺

《史記·滑稽傳》：東郭先生久待詔公車，行雪中，履有上無下，及其拜爲二千石，佩青緺也。

紫艾綬

《東觀記》：馮魴孫石，襲母公主封獲嘉侯，爲安帝所寵。帝嘗幸其府，留飲十許日，賜駁犀具劍、佩刀、紫艾綬、玉玦。

寸印丈綬

《漢書》：嚴助云：『陛下以方寸之印、丈二之組，鎮撫外方，不勞一卒，不煩一戟。』師古曰：『組者，印之綬也。』

花綬

《新序》：漢昌邑王取侯王二千石黑綬、黄綬，與左右佩之。龔遂諫曰：『高皇帝造花綬五等，陛下取之而與賤人，臣以爲不可。願陛下收之。』

蕭朱結綬

蕭育，漢哀帝時執金吾，少與陳咸、朱博爲友，著名當時。往者有王陽、貢禹，故長安語曰：『蕭朱結綬，王貢彈冠。』言其相薦達也。

金龜紫紱

《漢末雜事》：詔賜陳留蔡邕紫紱金龜。邕表云：『邕退省，金龜紫紱

之飾，非臣庸體之所能當也。」

以綬紱

《漢書·武五王傳·燕刺王旦》：武帝崩，太子立，是爲孝昭帝，賜諸侯王書。旦得書，以綬自紱。

綸組綖綬

史游《急就篇》：綸組綖綬以高遷。顔師古曰：綸，青絲綬也。組，亦綬類也。其小者以爲冠纓。綖者，綬之系也。綬者，受也。所以承受環印也，亦謂之璲。秩命不同，則綵質各異，故云以高遷。

白綬

焦贛《易林》：二千官，白艾綬也。

《風俗通》：秦昭王遣李冰爲蜀郡太守，開成都兩江，闢田萬頃。江神每歲須童女二人，不然爲水灾。冰曰：「以女與神。」因責之，久有蒼牛鬥於岸上。有間，冰還，謂官屬曰：「鬥太急，可相助也。若欲知，向南腰中正白者，我綬也。」主簿刺殺北向者，神遂絶。

朱組青紱

曹植《求通親親表》：若得辭遠遊，戴武弁，解朱組，佩青紱，安宅京室，執鞭珥筆，出從華蓋，入侍輦轂，承答聖問，拾遺左右，乃臣之至願。

朱紱

《魏雜事》：文帝丕與于禁詔曰：「昔漢高祖解衣以衣韓信，光武解綬以帶李忠，皆人主酬勞報功之心也。今將軍竭盡勤勞，朕當以昔時自佩朱紱與卿。」

緑綟綬

《晋書》：衛瓘録尚書事，如緑綟綬，劍履上殿，入朝不趨。

齊綬制

《文獻通考》：齊制，綬：乘輿黄赤縹紺，四采；太子、諸王纁朱綬，赤黄縹紺色亦同，相國緑綟綬，三采，緑紫紺；郡公朱，諸侯、伯青，子、男素

朱，皆三采；公嗣子紫，侯嗣子青，鄉亭、關中關内侯，紫綬，白二采；郡國太守、内史青，尚書僕射、中書監、秘書監皆黑，丞皆黄。

著綬

《梁書》：張纘爲尚書僕射，議南郊印綬，官若備朝服，宜并著綬。時并施行。

陳綬制度

《文獻通考》：陳諸王：纁朱綬，四采，赤黄縹紺，純朱質，纁文織，長二丈一尺，二百四十首，廣九寸。開國郡、縣公、散郡公：玄朱綬，四采，玄赤縹紺質，玄文織，長丈八尺，百八十首，廣八寸。開國縣侯、伯：朱綬，四采，青赤白縹，朱質，青文織，長丈六尺，百四十首，廣七寸。開國縣子男、名號侯、開國鄉男：素朱綬，三采，青赤白，朱質，白文織，長丈四尺，百二十首，廣六寸。一品、二品：紫黄赤，純紫質，長丈八尺，百八十首，廣八寸。三品、四品：青綬，三采，青白紅，純青質，長丈六尺，百四十首，廣七寸。五品、六品：黑綬，二采，青紺，純紺質，長丈四尺，百首，廣六寸。七品、八品、九品：黄綬，二采，黄白，純黄質，長丈二尺，六十首，廣五寸。官品從第二以上，小綬間得施玉環。官有綬者則有紛，皆長八尺，廣三寸，各隨綬色。若服朝服則佩綬，公服則佩紛。官無綬者，不合佩紛。

後周組綬

又，後周組綬，皇帝以蒼、青、朱、黄、白、玄、纁、紅、紫、緅、碧、緑十有二色；諸公九色，自黄以下；諸侯八色，自白以下；諸伯七色，自玄以下；諸子六色，自纁以下；諸男五色，自紅以下。三公之綬如諸公，三孤之綬如諸侯，六卿之綬如諸伯，上大夫之綬如諸子，中大夫之綬自紫以下，士之綬自緅以下。其璽印綬亦如之。

隋綬制度

又，隋制，王：纁朱綬，四采，赤黄縹紺，純朱質，纁文織成，長丈八尺，二百四十首，廣九寸。公：玄朱綬，四采，玄赤縹紺，純朱質，玄文織成，長

丈八尺，二百四十首。侯、伯：青朱綬，四采，青赤白縹，純朱質，青文織，長丈六尺，百八十首，廣八寸。子、男：素朱綬，三采，青赤白，純朱質，白文織成，長丈四尺，百四十首，廣七寸。正從一品：綠綟綬，四采，綠紫黃赤，純綠質，長丈八尺，二百四十首，廣九寸。從三品以上：紫綬，三采，紫黃赤，純紫質，長丈六尺，百八十首，廣八寸。銀青光祿大夫、朝議大夫：闕。長丈二。正從四品：青綬，三采，青白紅，純青質，長丈四尺，百十首，廣七寸。正從五品：墨綬，二采，青紺，純緇質，長丈二尺，百首，廣六寸。自王公以下，皆有小雙綬，長二尺六寸，色同大綬，而首半之。正從一品施二玉環，以下不合其有綬者則有紛，皆長六尺四寸，廣二寸四分，各隨綬色。

《隋書》：何稠參會古今，多所改創。從省之服，初無佩綬。稠曰：『此乃晦朔小朝之服，安有人臣謁帝而除去印綬兼無佩玉之節乎？』乃加獸頭小綬，乃佩一隻。

煬帝令牛弘制皇后服，翟綬。

有綬有紱

《唐六典》：凡綬，親王纁朱綬，一品綠綟綬，二品、三品紫綬，四品青綬，五品黑綬。凡有綬則有紱。

宋制綬

《宋鑑》：王公以下服，有師子錦綬，三公奉祀則服之；御史大夫、中丞有練鵲錦綬。

法官綬

《宋史·輿服志》：法官綬用青地荷蓮錦綬，以別諸臣。

玉環綬

《元史·輿服志》：玉環綬，制以納石失，金錦也。上有三小環，下有青絲織網。

虎頭綬

《梅菴雜志》：虎頭綬，武臣所服。

明綬制并寶池寶匣

《三才圖會》：天子大綬，六采，黄白赤玄縹緑，純玄質，五百首。小綬三色，同大綬，間施三玉環。

皇太子五采綬，赤白玄縹緑，純赤質，三百二十首。小綬三色，同大綬，間施三玉環。

皇后、皇妃、皇太妃、公主、諸王，俱佩綬。

群臣：一品錦綬，上用緑黄赤紫四色絲織成雲鳳四色花樣，青絲網小綬二，用玉環二。二品錦綬，同一品，小綬二，犀環二。

三品錦綬，用緑黄赤紫四色織成雲鶴花樣，青絲網小綬二，金環二。四品錦綬同三品，小綬二，金環二。

五品錦綬，用緑黄赤紫四色織成盤雕花樣，青絲網小綬二，銀環二。

六品、七品錦綬，用緑黄赤三色絲織成練鵲花樣，青絲網小綬二，銀環二。

八品、九品錦綬，用黄緑二色織成鸂鶒花樣，青絲網小綬二，銅環二。

《會典》：寶池用金，闊取容寶。寶匣二副，每副三重，外匣用木，飾以渾金；中匣用金，鈒造蟠龍；小匣仍用木，與外匣同。小匣内置一寶座，四角雕蟠龍，飾以渾金。座上用小錦褥，褥上置寶池，用銷金紅羅小夾袱裹寶。其匣外各用紅羅銷金大夾袱覆之。

私印綬

《考古紀略》：官印佩服於身，綬制皆長，而以絲色别尊卑等級。私印縮繫便用，其制甚短，亦以綵色絲綫爲之。或有用淡紅淺緑者，非飾美觀。古制原有朱、白、青、黑、紅、紫、緅、緑、纁、碧等十餘綵，是可并用者也。

鼠咋紫綬

《管氏易林》：遘鼠咋紫綬衣服，皆遷新之象。

吐綬雞

《異禽録》：有名吐綬雞者，嗉藏肉綬，長闊數寸，紅碧相間，遇晴則向陽吐之。

璽室

《西京雜記》：中書以武都紫泥爲璽室，加緑綈其上。

《隴右記》：隴西武都紫水有泥，其色紫而粘，貢之用封璽書，故詔誥有紫泥之説。

蘭金之泥

《拾遺記》：元封元年，浮忻國貢蘭金之泥。此金出湯泉，盛夏之時，水常沸湧，有若湯火，飛鳥不能過。國人常見水邊有人冶此金爲器。金狀混混若泥，如紫磨之色，百鍊其色變白，有光如銀，即燭是也。嘗以此泥封諸函匣及諸宫門，鬼魅不敢干。當漢世上將出征及使絶域，多以此泥爲璽封。衛青、張騫、蘇武、傅介子之使，皆受金泥之璽封也。武帝後，此泥乃絶焉。

寶盝

趙宋璽寶，納於小盝。盝以金飾之，内設金牀，承以玻瓈碧鈿石之屬。又盝二重，皆飾以金，覆以紅羅綉帕。

印衣

《漢官儀》：印衣，各異其色，以別尊卑。胡廣曰：印衣，印服也。

印囊

《古今注》：青囊，所以盛印也，古爲之印囊。奏劾者以青布囊盛印於前，示奉王法而行也；非奏劾日，則以青繒爲囊，盛印於後。謂奏劾尚質直，故用布；非奏劾尚文明，故用繒。自晋朝以來，劾奏之官專以印居前，非奏劾之官專以印居後也。

印套

《考古紀略》：軍假司馬銅印，鼻鈕，有一薄銅塗金套，以護其文。

印筩

《古器續述》：嘗考古之官印，有綰鈕，佩服亦有用囊盛置，而無收藏之器。私印非佩，故有印筩，亦爲之奩。其式方，銅鑄，亦有木造者。筩中另爲木墊，隨印大小，各爲微限，以護印文。天子金奩。元稹詩：金奩御印篆分明。

刀

《梅菴雜志》：作印之刀，身須厚而鋒須利，不必多備。或云『鈍刀製印乃古』，此非知者之言。若石印鈍刀猶可，銅印如何鎸刻？聖人云『工欲善其事，必先利其器』，未聞云『鈍其器』也。製印古樸，自人爲之，豈在刀鈍乎？

鑿

銅章有鑄，有刻，有鑿。鑿即漢人急就法也。其鑿厚須倍於刀，短宜遜於刀。薄易摧壞，長則鎚之不力也。

床

近世作印者，俱用床。若石印可不必。至銅章，無論刻鑿，必以床爲便也。蓋銅質堅結，堅結而身小，不用床無以著力，且易傷手。

金銀

《游藝雜述》：凡造印章，金須精，銀須紋，古制皆然。若銀潮而金雜，則硬不易刻也。

王兆雲云：金銀之性俱純粹，若作印而雜入銅鉛，其質變而脆硬矣。然運以老手，加以鋼刀，亦何畏哉！

怡軒先生云：金銀印文，光弱無鋒，絶少意趣，遠遜於銅。且其聲價貴重，名家私印，竟可不用。

銅

銅出海外，色紅而性純，以之作印最妙，蓋能傳之久而文足重也。銅內和以青鉛則色淡，古人造器亦用之。和以白鉛則黄而質硬，古無用者，鑄字鑿字則可，刻則費力耳。雲南所産并鍊白銅，其性亦純，可以并用。

石

印石種類不一。要其可用者，凍爲上，即以下數種之精華。浙中處州之青田次之，昌化及閩中壽山又次之。楚之荆州、滇之武定等類，不足數矣。然用石不過一時美觀兼便刻者，若欲紹美古人，不如金銀銅玉之爲妙也。

王兆雲云：古印多係金銀銅玉。四者之外，偶有象牙、水晶等物者，而無石印。今人私印概以石爲之，且多用閒雜字樣，不古甚矣。

牙

象牙止堪用於新時，舊則每多損裂，即善藏家不免油黄。如用作印，取皮内心外一層爲佳。浮皮易破，中心易黄，故名公家不甚以爲印也。又聞牙性如觸香臭暖氣，雖新而佳者亦裂，用者宜知之。又云：象畏鼠，如著鼠跡即裂。

蠟

撥蠟之蠟有二種。一用鑄素器者，以松香鎔化，瀝淨，入菜油，以和爲度，春與秋同，夏則半，冬則倍。一用以起花者，將黄蠟亦加菜油，以軟爲度，其法與製松香略同。凡鑄印，先將松香作骨，外以黄蠟撥鈕刻字，無不盡妙。

泥

印範，用潔凈細泥，和以稻草燒透，俟冷，搗如粉，瀝生泥漿調之，塗於蠟上，或晒乾，或陰乾，但不可近火。若生泥爲範，銅灌不入，且要起窠。深空也。熟泥中粘糠粃、羽毛、米粞等物，其處必吸。銅不到也。大凡蠟上塗以熟泥，熟泥之外再加生泥，鑄過作熟泥用也。

印色

楊升菴云：今之紫粉，古謂之芝泥；今之錦沙，古謂之丹臒，皆濡印染籀之具也。庚信讚：芝泥印上，玉匣封來。趙崇微啟皂蓋，偃藩錦砂濡印。

《梅菴雜志》：印色舊無良方，近有人用蓖麻油或茶油置玻璃瓶中，三伏時晒之漸稠，愈晒愈妙。硃砂去其標及最重者，以標黄而脚黑也，不可用銀硃，恐日久色變。入龍骨十之一，有八寶粉爲佳，否則止用珊瑚粉，其法頗妙。菜油性走，印印有黄跡，不可用。

王兆雲云：印固須佳，印色復不得惡。譬如虎丘茶、洞山岕，必得第一第二泉烹之。又如精毫，非得妙墨名硯，亦不能佳。

黑印色

昔唐集賢院圖書印用墨印，厥後博古家彙古印爲譜，有效之者，印出最

易得神，且歷久而色不變。若作印譜，俱宜用之。其油艾與朱同，用最輕細煙、龍骨、八寶粉，亦與朱色相等。

吴傳朋《蘭亭圖跋》云：上有印三：其一大章漫滅難辨，皆印以朱；其一『集賢院圖書印』，印以墨，朱久則渝。以故唐人間以墨印，如王涯小章、李德裕贊皇印以墨。

印油

楊升菴云：古方萞蔴油，或用煎糊油，皆未爲佳。近傳用川山甲油，取其不滲，試之良妙。

《擷芳録》：以萞蔴油每兩入去皮老薑五錢，烈日中曝至三年，乃入硃、艾，印於紙上不滲，天寒不凍，最妙法也。

艾

艾，蘄州者爲佳。先揀去細屑及梗，再揉數百度，於光細石臼中舂之，篩淨如綿絮，用泉水于瓦器中煮去黄黑色，曝燥，方可入以油、硃。

印池

甘旭云：印池止宜用磁器，印色歷久不壞。若金銀銅錫之類，皆不可用，數日即壞。至近世，青田等石者，亦未甚佳。如用，以白蠟蠟其池内，庶不損油。

綬笥

《漢官儀》：印綬盛以篋，篋以緑綈，表白素裏。

應劭《風俗通》：車騎將軍馮緄鴻卿爲議郎，發綬笥，有二蛇，長二尺，分南北走。許季山孫字寧方，得其先人秘要，緄請使卜，云：『君後三歲，當爲邊將，東北四五里，官以東爲名。復五年爲大將軍。南征，此吉祥。』無幾，拜尚書、遼東太守、廷尉、太常。會武陵夷攻南郡，選登亞將。後爲屯衛校尉、將作大匠、河南尹，如寧方之言。

鞶囊

《晉·輿服志》：諸假印綬而官不給鞶囊者，得自具作，其但假印不假綬者，不得佩綬。鞶，古制也。漢世著鞶囊者，佩在腰間，或謂之綬囊。

卷八

詩

物之可傳、可重者，莫不有名人韻士詠歌之、傳述之，而非默默無聞者也。印章雅玩，古意無窮，詞翰賡揚，風徽尤著。茲集諸家之作，類聚一帙之終。

長樂未央玉璽歌

王　逢

赤龍銜日照赤子，白蛇橫斃烏騅死。東風吹冷咸陽灰，長樂未央連闕起。昆吾寶刀截瓊肪，陰文小篆雲漢章。盤螭作鈕徑二寸，歷歲四百傳天王。黃星孛明銅爵舞，銅仙淚泣如絲雨。盜將神器竟不歸，璽亦漂淪頻易主，使君購得心良苦。君不見，豐城有劍氣上衝，米船也貫滄江虹，陋歌先附蘇卿鴻。

秦璽歌

怡軒公

潤潔良材篆魚鳥，示信彤廷爲禪寶。追琢思傳世萬千，赤龍早入函關道。戰鬥紛紛欲得難，抵軒投地幾時安。桑田滄海終無已，莫作尋常古意看。

秦皇玉璽行

朱象賢

六王繫頸歸函谷，當道白蛇恣殘毒。典墳已作咸陽灰，鐫摹枉玷荆山玉。麗文精妙螭蟠鈕，寶氣光芒射牛斗。須臾東海鮑車還，道旁已屬他人有。君不見，唐虞揖讓稱聖神，垂裳而治無繁文。又不見，救民伐暴湯與武，受命何曾藉圭組。賈兒貪詭多經營，居奇逞淫呂易嬴。一朝反古事追琢，常遺篡奪興戈兵。得失頻頻歲千百，土花苔葉留陳迹。侵尋未去凶虐餘，洗攻誰試他山石，重使人間睹完璧。

武后玉璽歌

武后玉璽，瑩白，僅半寸，元太史伯顏以歷代璽改造押字、鷹墜等物，獨此不可他用，得以傳留，因爲之歌。

清瑩潔白如凝脂，鐫成破體文參差。蛾眉君國今已矣，蟠螭寸寶傳當時。先春曾署催花令，憶舊還填如意辭。風華艷冶珠宮裡，信徹天人貴無

比。紅羅繡帕鎖金奩，荏苒韶光似流水。興亡得失各匆匆，每同古璽藏新宮。豈知天地翻覆文物厄，煮鶴燒琴竟誰惜？斑斑押字盡符章，纍纍鷹墜皆瓊碧。人去無須理治文，劫來猶剩娉婷跡。尋思往昔最堪傷，事物相傳易渺茫。得睹燼餘知制作，才人才調本非常。

老姑投國璽　楊鐵崖

梁山崩，六百年後符命興，五將十侯至宰衡。改漢臘，頒新正，五威符命走天下，侯王稽首厥角崩。老姑亦去號改新，母稱置酒未央宮，誰爲朱虛按劍行酒令。平聲。吁嗟長樂孺子璽，不得渭陵殉葬藏幽扃。

王氏后　又

沙麓鍾靈六百年，存劉一璽忍輕捐。老天有意母天下，黃霧如何塞九天。

獻穆后　王梅菴

漢中興，誅莽新。漢祚完，出曹瞞。執政肆虐弑母后，晋女盜璽謀已就。

女生外向古有言，呼天涕泣怒抵軒。

宋侍中 謝朏　馮雪湖

呼不來，宋侍中。我直宋璽綬，不知有齊公。敕賜傳宣日當午，侍中高卧猶閉户。弗云我疾我不疾，朝服堂堂天上出。天上出，誰解璽，平頭郎，王儉。散髻子。一時榮，千古耻。

鄭夫人 金尚宫掌璽女官　又

謝侍中，卧不起，鄭夫人，守以死。兩人義重天子璽，彼丈夫兮此女子。大節匹休馮與李，漢馮婕妤、唐李昭儀。王后一擲何足齒。

衛將軍玉印歌　泰不華

武皇雄略吞八荒，將軍分道出朔方。甘泉論功誰第一，將軍金印照白日。尚方寶玉將作匠，别刻姓名示殊賞。蟠螭交鈕古篆文，太常鍾鼎旌奇勳。君不見，祁連山下戰骨深，中原父老淚滿襟。衛后廢殂太子死，茂陵落日秋風起。天荒地老古物存，摩挲斷壁悲英魂。

吴郡陸友仁得白玉方印其文曰衛青臨川王順伯定爲漢物求賦此詩

虞道園

將軍騎從公主時，豈意刻玉爲文章。珠襦已隨黄土化，此物還同金雁翔。軍中只説長平侯，西風木葉茂陵秋。人生卑微何可忽，碌碌姓名誰見收。

衛將軍歌 爲得衛青玉印者賦之

吴淵穎

昔聞衛將軍，起自衛子夫，姊爲皇后弟爲奴。親提漢兵北擊胡，旌旗劍戟羆熊貙。指揮六郡良家子，輸給三邊幕府租。血流余吾斷斥候，魂駭老上燒穹廬。天子召見錫印符，鐃歌騎吹凱入都。椎牛釃酒啟鞠室，饗士論功懸箭箶。平陽故侯丈二殳，寡主忸怩膝走趨。兩兒佩綬光耀軀，外虓内煽絶代無。荆玉方寸温且腴，古文繆篆姓名俱。螭尾壓鈕巧盤拏，楯鼻磨墨急檄書。史傳數紙丘山如，王侯螻蟻但須臾，土花苔葉空糢糊。何人手曾秉鈞樞，何人身已返隸孥。昔貧今富鼠作虎，昔富今貧鵠化鳧。感時撫舊嘆以吁，淮陰鍾室彭越葅，良弓猛狗諺不誣。衛青玉印千載餘，珍重漢皇宏遠模。

題姑蘇陸友仁藏衛青玉印

揭傒斯

白玉蟠螭小篆文，姓名識得衛將軍。衛將軍，今何在？白草茫茫古時塞。將軍功業漢山河，江南陸郎古意多。

司馬相如玉印歌 爲錢編修作

毛　甡

漢庭司馬梁園客，早歲爲郎晚馳驛。因慕邯鄲舊相賢，借取高名注屬籍。當時原有摹璽書，大者礱石小琢玗。螭頭龜膊總啣帶，碧文緑籀皆施朱。相傳解玉刻小印，四角中央搆名字。檄使填將論蜀文，酒徒印作當壚契。於今相隔年又年，不虞此物留人間。土衣苔繡半斑駁，銀鈎玉箸還新鮮。截肪徑寸覆玦鈕，何必黄金大如斗。錢郎得此真罕希，每與秘書通繫肘。會當天子好古文，相如已是同時人。尚書給札令繕賦，落筆殿前如有神。遂登著作入金馬，名在何須更相假。對策姑令董仲先，容才久爲廉頗下。長安秋盡寒欲來，驅車一上昭王臺。酒間出示争把玩，令我懷古心裹

裒。前人意氣不長在，況復微文等光怪。何物雲英護此符，歷劫千秋不曾壞。

龍門遺册懶未收，圖書堆垛能生愁。我今欲借文園篆，一惹桃花紙上油。

購得古銅印歌

施一山

好鶴好琴同一癖，昔人去後還蕭索。今之好事凡幾輩，破硯殘碑皆拱璧。我獨傾囊古印換，纍纍大小堆書案。下括六朝上秦漢，土花剥蝕銀光爛。鈕錯龜蛇獅覆斗，六面兩面皆不醜。或戲胚胎肖子母，行軍急就那及鎸。信手鑿入風回旋，冶鑄端好殫精研。總奪造化泣神鬼，卮匜敦牟何間然。呵護倘教千載聚，精靈與璽應常住。重爲嘆曰：世代推遷陵谷變，咸陽灰燼昆陽戰。大冢高墳狐兔穿，金椀珠襦市廛衒。獨此古章屹不磨，劫餘得與時摩抄，茫茫終奈古章何。

古銅章歌 爲施考功賦

沈陶村

一室寶氣相騰旋，疑有鼎光高燭天。主人開囊出示古銅印，知自秦漢之世留人間。螭頭龜鈕色斑駁，土蝕苔侵半欲落。小篆秦相文，破體垂垂

挂。釵脚急就漢人製，馬上縱横偶然作。風回鸞鳳體軒翥，劍斫蛟鼉勢騰躍。别有紅文緑字形模糊，如鎸非鎸鑿非鑿。上自公侯印，下及行軍符。牙門部曲别騎將，蠻夷邑長家丞俱。私家小印著名氏，星羅棋布人人殊。嬴顛劉蹶幾興敗，廟社鐘鏞竟安在。雲烟過眼十七朝，此印蒼凉閲人代。應有精靈永護持，歷遭塵劫常不壞。先生博物窮討蒐，嗜古以外無營求。静坐齋閣觀衆妙，蒼然古色盈雙眸。左陳犧尊右敦（音對）牟，更列瓦泰連彝舟。間將金薤細摩弄，留侯史遷皆我儔。（中有留侯、太史公二印。）鴻文高隱師往哲，人與古印同千秋。

金石歌送友赴試

施一山

軒頡洪荒不可考，雲禾蝌鳥空垂傳。籀斯二篆及苦縣，碑版漫漶亦弗全。世之學者務剽襲，字體闒茸況鑿鎸。强工光澤媚時目，柔條弱草蜘絲牽。天賦君才復好古，金石囦源四代聚。硜然落墨風埽籜，瘠文急就咸規矩。陽折而圓陰折方，荒齋頃刻盈琳琅。胸羅象緯既如此，何嗟義命深摧藏。

願君勿吝金錯刀，願君好瑩鸊鵜膏，追琢圭璧連城高。便乘鳳舞龍蟠勢，一正群趨快我曹。

陸子友仁得古銅印文曰陸定之印以名其子而字之曰仲安友仁既没仲安就予求賦作此贈之

倪　瓚

吾友伯仁甫，覽古閲世盲。示我古印章，始得自幽并。辨文曰定之，釋義爲爾名。既名字仲安，勖哉在敬誠。伯仁今則亡，緬懷涕沾纓。翳昔黄太史，結交漢米生。手持玉刻文，螭鈕交縱横。上有元暉字，印刓與弗輕。殷勤字其兒，祖武冀可繩。久矣學業懋，繼述暉芳英。書畫比二王，價重如連城。高躅思仰止，景行爾其行。

詠古印　野耕公

金玉爲資質，遺留若景星。白文傳遠信，朱記奉明廷。破體分名氏，隆顛列鈕形。幾番罹浩劫，呵護有神靈。

决道弟得小金印以詩贈之　黿沖之

季也獲金印，籀文秦不如。情知非鳥跡，恨不識天書。溪静龜遊罷，庭間鵲鬥餘。春風還舊物，疎俊獨憐渠。

古印　朱象賢

名姓功勛振昔年，滄桑幾變信空傳。未看造次軍中賜，猶識縱横馬上鎸。苔葉翠分青紱麗，土花紅帶紫泥鮮。摩挲古意盈雙眼，誰復纍纍肘後懸。

獲玉印 三茅山道童遇白兔入穴，掘之得九老仙都君玉印，乃宣和故物　吴全節

瑶瑛篆刻鎮華陽，猶帶宣和雨露香。玉兔有靈開地藏，金童無意得天章。九重臺殿增春色，萬里書中耿夜光。喜遇明時薦神瑞，三君珍重護宏綱。

古銅印　甘　旭

鈕别螭龜質鑄金，細摹破體洗塵侵。光陰流電無須計，自有蒼然古意深。

題印囊　陸龜蒙

鵲銜龜顧妙無餘，不愛風流愛石渠。應笑休文過萬卷，至今誰道沈家書。

和陸魯望印囊　皮日休

金篆方圓一寸餘，可憐銀艾未思渠。不知夫子將心印，印破人間萬卷書。

壽山印石歌　梅瞿山

誰爲南宮顛，呼石下拜名爭傳。誰爲焦先怪，煮石療飢我亦愛。古來奇物遇奇人，無意相遭各有神。天教文彩應圖瑞，泗石汜石各有類。青田舊凍美絕倫，冰堅魚腦同晶瑩。邇來壽山更奇絕，輝如美玉分五色。將毋鍊石女媧師，補天滴瀝遺天脂。風雷恍忽騰蛟螭，土奔石裂堆琉璃。柑黃蠟白硃砂肥，綠浮艾葉尤稱奇。鐫猊鏤虎蹲靈龜，製成篆籀懷李斯。陸子好奇走東海，寄我四笏封磊磊。婆娑兩手生霞彩，醉飲高歌出真宰。倘聞瞿山何所癖，我有小軒名拜石。

印泥歌贈沈子　施一山

日初出，光陸離。赤鳳翔翔，赤龍騤騤。大秦之珠火浣布，猩紅血漬珊瑚枝。如何兩造精靈器，盡入君家一印池。

附**虎符歌**　朱德潤

建章前殿金鳳皇，兵符五出單于降。漢家明詔下雞鹿，將軍夜送呼韓王。棘門驃騎多猛士，酒酣擊劍願效死。征和丞相佐君王，從此合符兵不起。霜風千年換陵谷，土花銅秀青如玉。班班只憶漢彤庭，用夏那知變夷俗。當時銜命出關中，編鬚豈敢要奇功。平原豺獸不擇肉，印章千里空泥封。

銘

印銘　傅玄

往昔先王，配天垂則，乃設印章，作信萬國。取象晷度，是銘是刻，文明慎密，直方其德。本立道生，歸乎玄默，太上結繩，下無荒慝。

印銘　李尤

赤紱在服，非印不明。棨傳符節，非印不行。龜鈕犢鼻，用爾作程。

印銘

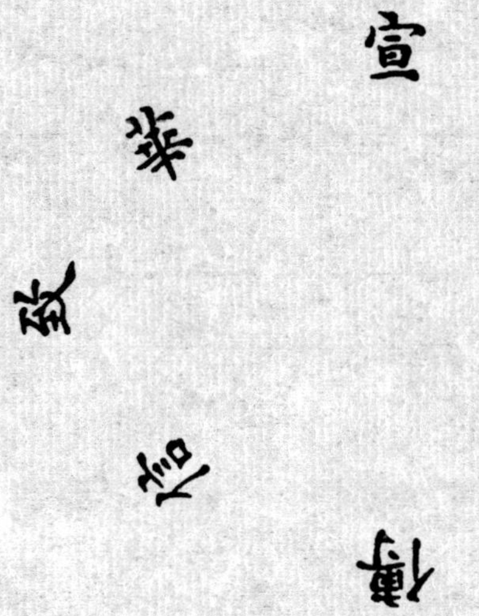

怡軒公

印銘

朱象賢

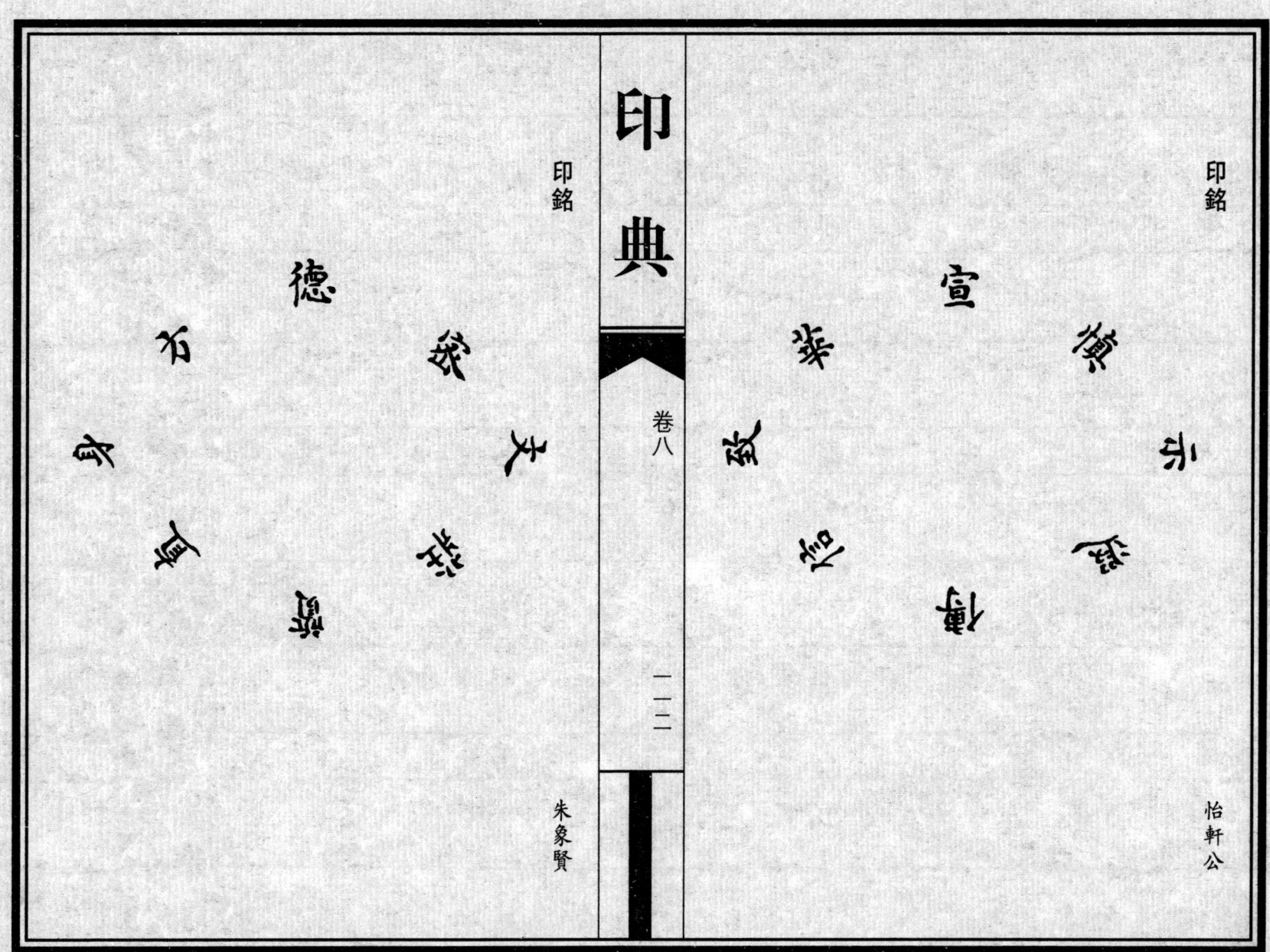

印銘

米芾

印銘

[illegible]

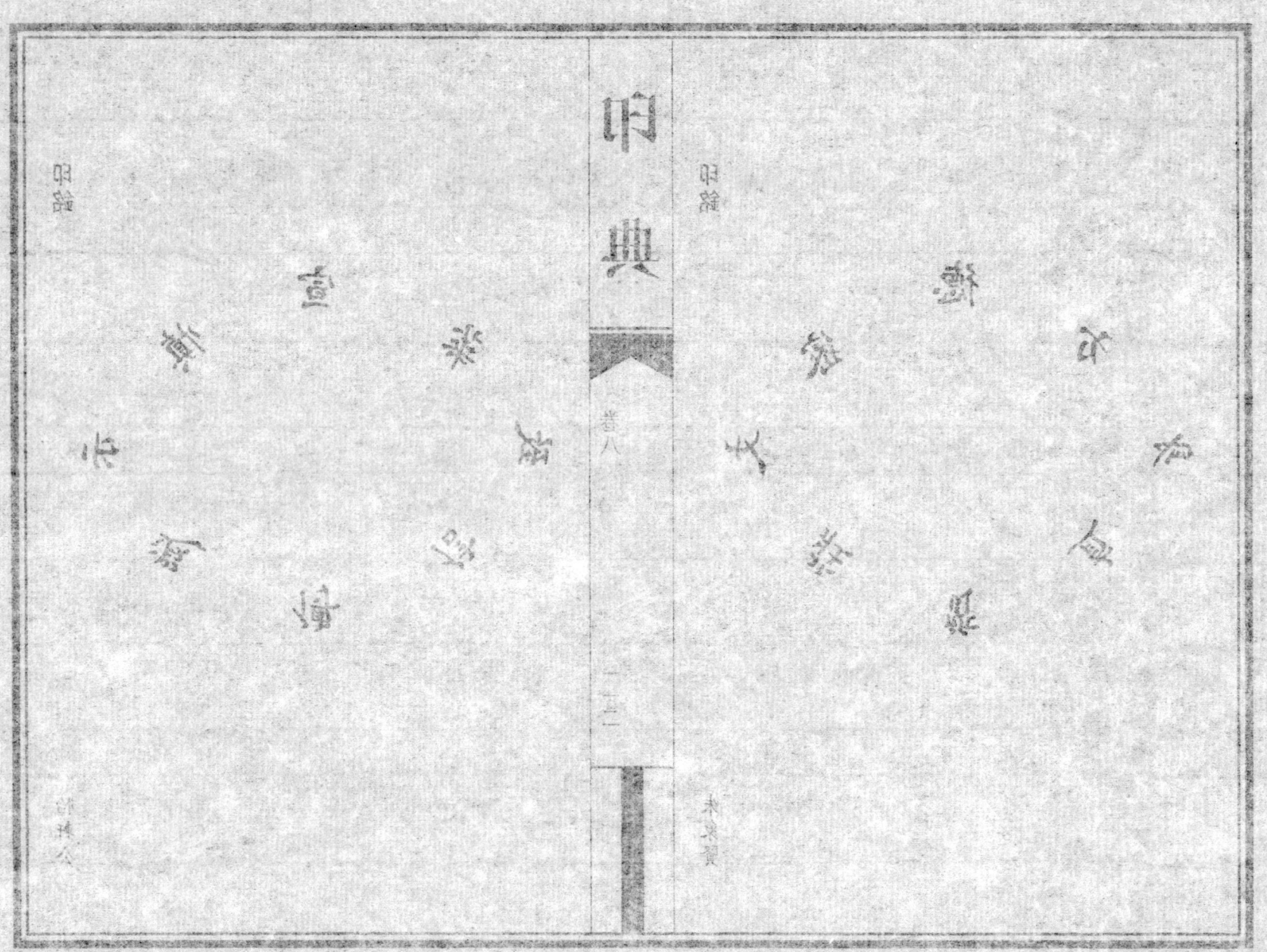

印衣銘 胡廣

印衣，印服也。《漢官儀》：印有金銀銅之殊，而服亦異，其色所以別尊卑、等貴賤也。

明明上皇，旌以命服。紆朱懷金，爲光爲飾。邁種其澤，撫寧四國。宣慈惠和，柔嘉維則。克厭帝心，膺茲多福。登位歷壽，子孫萬億。

印斗銘 王十朋

器縣而光，斗形而方。孰鐫賤名，於是乎藏。

龍文印筩銘 闕名

文華德方，寶信斯藏。

綬筩銘 張衡

南陽太守鮑得，有詔所賜先公綬筩，傳世用之。時得更理筩，衡時爲得主簿，作銘曰：

懿矣茲筩，爰藏寶珍。金纓組履，文章日信。平聲。皇用我賜，俾作帝臣。服其令服，鸞封艾緡。天祚明德，大賚福仁。垂光厥世，子孫克神。厥器維舊，中實維新。周公惟事，七涓有隣。

箴

符璽令箴 崔瑗

在尊曰璽，在卑曰印。防不可不審，制不可無常。如姬竊印，晋鄙受殃。符臣司直，敢告不剛。

賦

印賦 以王道正直，執契理人为韻 趙良器

域中四大，得一者王，混同區宇，端拱巖廊。運元功而莫測，故神用之無方。穴處巢居，時尚傳於樸略；結繩刻木，化始漸於昭彰。暨夫扇澆，薄事征討。知慧出而下有大僞，忠信興而上失其道。聖人以智周萬物，仰觀

俯考，追淳化於往初，發鳥迹而爰造。是鑄至堅之金，騁至巧之性。方圓設象以回合，雕錯得宜而瑩淨。其道恒，其體正。其君者是效，故有聞於至乎；王者是司，故不待於嚴令。詳觀其貌，且横且直。文繚繞而外轉，字連綿而内逼。迹處泥而髣髴，容因朱而翕艶。迫而察之，若披彩畫之圖；遠而望之，若散晴霞之色。爾其大小咸凖，委曲相襲，隨時而行，仗義而立。群吏則有慮其誕，故合之而給；天子則不責於人，故司契而執。借如九命作伯，三朝謁帝，服冠冕而去來，佩印綬而有繼。當司存之部領，覽職事之巨細，罔不典常作師，圖忱之子。且契之不明，訟之所起；契之既用，人得而理。豈徒中山張氏化墜鵲而初成，餘不亭侯感回龜而相似。光錫忠孝，若斯而已。亂曰：古之善爲道者，非以明人，執其左契，欲使還淳，故得永全太樸，不斁彝倫。斯亦爲政之機要，何止更光於縉紳。

受命寶賦 并序

梁　肅

受命寶在昔曰傳國璽，自秦始皇有焉。蓋取夫一世二世傳於無窮，故

有傳國之號。歷兩漢至於陳隋，隋煬之遇禍也，宇文化及盜之而西，竇建德滅化及取焉。《易》稱：『物不可以終否。』武德中，太宗一戎衣而天下大定，是器也與璽同歸。國家用之，以受命所承，更名大寶，而多歷年所。自前代觀之，受天明命則不求而得，僭賊刼遷則得之而失，蓋神物之所在，非徒然也。抑又聞之，鼎之輕重與璽之去留，莫不視德之上下，位之安否。若恃寶命在己，而慆心堙耳，漸乎危殆，以負扆之尊，被竊鈇之言，當此時也，此片玉耳，復何爲哉？竊讀史氏，感興亡之器，忿微覬之類，於是作《受命寶賦》。若形制之小大厚薄，則未始詳也，故不備焉。其詞曰：

物之貴兮，惟玉之英，翕二氣以成形，極百寶之純精。卞氏得之，三獻而後明。當秦趙之抗衡，挺高價於連城。伊玩好之所資，微神器之鴻名。及夫秦始稱皇，削平六王，爲龍爲光，追琢成章。其文曰『受命于天，既壽永昌』。其始也，謂世有哲王，傳國寶之無疆。何逆天以暴物，不及期以降殃。惟陰陽之運行，終受授而不常。隨素車與白馬，歸赤精於路旁。逮夫漢業中微，后族專命，

禄去公室，世移威柄。寶沙麓之遺瘵，成巨君之篡害，雖擲地以慷慨，終莫救夫顛沛。俄漸臺之頹覆，歷更始與赤眉，咸庸懦而不居，卒亂長而禍滋。洎四七之龍驤，爲火主以得之，遂祀漢以配天，延二百之炎輝。苟非其人，實命不歸。悼桓靈之不嗣，置天下於阽危。既而赤伏道喪，黄星兆發，雲雷邅屯，朝社播越。去乘輿而漂蕩，入智井以蕪没，披草萊以拯之，實功存乎武烈。何典午之傾潰，劉石盜以自尊。既江表之卜年，遂歸明以去昏。五世推移，或亡或存，失得由道，隋之併吞。始負險以争雄，俄銜璧而來奔。惟大業之離阻，由君昏而黷武，豺狼呀以當路，郊廟棄而失主。望夷之釁，既發斯器，淪於醜虜。昊天有命，眷我高祖。騫飛汾晋，震疊關輔。雲行雨施，雷動飈舉。聖人既作，萬物斯睹。於斯時也，充德扇結，東周卼臲。帝謂文皇，陳師往伐，如火烈烈，如風發發。牛口先撥，虎牢則達。致四海於昇平，混車書以同轍。惟神器之有在，終告歸乎魏闕。考乎先王之統世也，以文經天，以武緯地，觀象備物，從宜制器，播而用之，爲天下利。故曰大德曰生，大寶曰位，位之升降，唯道所至。先王審其所以，

故爲大於細，爲難於易，然後本不摇而末不墜，安危之體，鑒此而已。若夫符命之所加，歷數之所歸，莫不天人合發，區宇樂推，休祥焕然，靈命顯思。是以有守有失，動而悦隨，苟貪饕與僭亂，莫不速禍而召危。此玉也，公路執持，衆叛而親離；趙高引佩，殿壞而身糜。惟前軌之昭昭，孰可幸捷以取之。若答曰：吾皇有命，如天有日。傳寶在我，昏庸自佚。則陸渾無問鼎之事，歷代無奉璽之術。苟思慮於廢興，故不既得而患失。於戲，天發禍機，聖人定之，天生神物，聖人用之。唐哉皇哉，大人造之。子孫百代，永言保之。

咸陽獲寶符賦

失名

玉鈕惟舊，芝泥尚新；螭文外發，鳥篆中陳。

頌

青宮受寶頌

虞集

天曆二年六月己酉，皇太子受寶於行幄。臣等拜手稽首而言曰：臣聞

古之所謂能以天下讓者，審幾於先事，謂之至德；既勸而庸巽，謂之予賢。是皆人道之常，而未若今日之盛者也。我皇太子以仁文之資，知勇之德，當撥亂反正，以纘祖宗之統，則躬當大難，嬰犯霜露而不辭。及功成治定，既膺歷服之歸，則推奉聖兄，謙居儲貳而不伐；剛明之斷，堅於金石而無變；素定之誠，質諸天地而無疑。求仁得仁，若處固有，樂道忘勢，忻然無爲。此寶帝王之所難能，古昔之所未有，而卓然特見於前後千萬世之内者也。臣嘗讀《周易》，而觀於乾龍之象，自潛至躍，時升位異，九五天飛，中正極矣。益進而上，庸知退夫？而仲尼之贊上九曰，唯聖人知進退之正。言非聖人不能及此。噫！仲尼發此義於千五百年之前，而昉見其事於聖代，宗社生靈萬世無疆之福也。於乎盛哉！臣等幸以文學得備筵閣之顧問，親逢盛禮，爰敢作頌以獻。頌曰：

於穆皇儲，文武聖明。於赫大帝，受命輯成。天運日行，既明既健，神交意孚，曾是修遠。帝載龍旗，其行遲遲，萬民徯來，皇儲有思。載思載瞻，

于廬于旅，式好在原，莫敢寧處。風雨孔時，道無遊塵，肅肅鑾車，通宵及晨。帝曰勞止，毋趣行邁，會言近止，交喜更慨。灤陽之京，世皇所營，我毋即安，次於郊坰。坰有豐草，雨露既渥，差坰放牧，繁纓濯濯。皇儲攸止，百靈具扶，群臣受詔，奉寶來趨。維時範金，龍光上燭，匪舊以新，景命攸屬。寳來自南，追琢有章，卿雲隨之，五色景芒。有親有尊，有友有愛，以承武皇，聖孝斯在。古人有言，兄弟家邦，咨爾臣庶，於乎勿忘。史臣作頌，丕昭盛德，既壽以昌，子孫千億。

譜

傳國璽譜

鄭文寶

國璽者，本卞和所獻之璞，琢而成璧。楚求婚於趙，以璧納聘，故稱趙璧。而秦昭王請以十五城易之，趙使藺相如送璧於秦，秦納璧而吝城，相如乃詭而奪。至秦皇併六國，獨有天下，乃命李斯篆書，詔工人孫壽，

用是璧爲之。一云用藍田玉作之，其篆文云：『受命于天，既壽永昌。』至始皇崩，二世立，天下大亂，劉、項起。二世爲趙高所弑，立子嬰。子嬰立四十日，漢高祖先與諸侯期入關，子嬰乃乘素車白馬，繫頸以組，奉傳國璽降於軹道旁。高祖收璽，以子嬰屬吏。項羽後殺子嬰，誅戮秦族。封高祖，還定關中，立漢社稷。五年，誅項羽而有天下。至平帝時，王莽輔政，鴆殺平帝，立孺子，自號安漢公。王莽使皇后求國璽，后知不能留，乃從綬解下投地，故一角有缺。莽就得之，遂稱新室。按，玉璽方闊四寸，龍鼻，色黄，上大篆文，飾以蟲鳥魚龍之狀。秦相李斯篆其字有八，云『受命于天，既壽永昌』，側小書七字，即魏太祖命黄象篆之文，曰『魏所受漢傳國璽』。初，王莽之末，天下大亂。赤眉入長安，長安人公賓就殺莽於漸臺，遂得國璽，歸於劉盆子。建武中，盆子降世祖，故璽入後漢。至獻帝，董卓作亂，張讓、段珪將帝出小平津，投璽於洛陽井中。孫堅入洛，見井上有五色氣，使人濬井，乃獲璽。孫堅得之，尋爲袁術所奪。袁術敗，璽入魏太祖。至常道鄉公禪位於晋，璽入晋室。懷帝爲劉聰所陷，帝降聰，聰於承塵得之。璽入聰，聰死，粲爲靳準所殺。劉曜平靳準，國稱趙。及曜爲後趙石勒所滅，其璽入勒。至季龍死，石氏大亂中原，魏冉閔盡誅石氏，遂稱魏。爲前燕慕容雋所敗，有戴施者得璽，謝尚以五百騎送之，歸於東晋，即穆帝時也。及恭帝傳位宋主劉裕，璽入宋。至順帝時，禪位於南齊，齊主蕭道成求璽，璽又入齊。至和帝時，禪位於梁主蕭衍，以璽入梁。武帝太清時，侯景作亂，臺城不守。武帝崩，蕭綱爲簡文帝，俄而幽死永福省。立昭明子棟，又廢棟自立。百餘日軍敗，爲羊鯤所殺。有趙賢者，爲棟所親，掌璽綬。及鯤敗，將一疋載璽至京中。時有載金者爲盗所劫，載璽者乃躍舟中，至瓜洲，復遇盗，力不能制。投璽於草中，而告大將軍郭敬之。敬之取得，與北齊王高洋。至高緯爲後周武帝宇文邕所殺，璽入周室。静帝衍禪位於隋文帝，璽入隋。煬帝幸江都，宇文化及行弑，帝崩，其璽爲蕭后所掌，遂歸於宇文。化及爲竇建德所殺，璽入建德。後

建德爲突厥可汗所敗，蕭后將璽入虜庭。至唐武德中，使人入虜取蕭后及傳國璽，突厥乃遣蕭后及璽并煬帝少子元帝歸，遂入唐，高祖神堯皇帝受之。按《唐年譜録》，廣明元年十二月五日，僖宗幸蜀，王建囊負傳國璽從駕以行。天祐初，濟陰王祝以壽終，璽入於梁。梁亡，入後唐。莊宗同光之亂，歸於明宗。明宗崩，清泰即位於岐下。王思同、張虔釗之舉少帝奔潞，潞帥石敬瑭不納，殞於驛署，璽歸於清泰。晋高擁戎馬，自晋陽入洛，河橋不守，清泰積薪累日，盡驅宗室六宮珍玩，一旦偕焚於摘星樓，秦璽煨燼，其亦明矣。按《陷蕃記》，北戎入梁園，晋少主奉上璽綬，戎王怪玉璽制用疎樸，筆工又非真絶，疑將有隱易者，晋人具以實對。文寶淳化中司計陝右，督芻軍於塞下。有虔州永壽縣主簿趙應良者，北燕人，老而能記，自謂少年事戎，爲僞丞相高公堂後官，嘗從公至燕子城，登重閣，閲晋舊物，得觀璽綬，與《陷蕃》略同。今傳者云秦璽入虜，亦其語矣。至道三年五月十五日，滎陽鄭文寶舟中述。

玉璽譜

傳國璽是秦始皇所刻，其玉出藍田山，是丞相李斯所書，其文曰『受命于天，既壽永昌』。漢高祖定三秦，秦王子嬰獻此璽。及漢高即位，仍佩之，因以相傳，故號曰傳國璽。漢昭帝時，殿中一夜相驚，霍光即召持節郎取璽，郎不與。光欲奪之，郎按劍曰：『頭可得而璽不可得。』光善之，明日遷郎秩二等。光後廢昌邑王賀，立宣帝，光自手解取賀璽，扶令下殿。至漢平帝，王莽篡位，向元后求璽。乃出璽，投之於地，璽上螭一角缺。及莽敗時，帶璽綬避火於漸臺，商人杜吴殺莽取綬，不知取璽及莽頭。公賓就見綬，問綬主所在，及斬莽首并璽與王憲。憲得，無所送，又自乘天子車輦。李松入長安，斬憲，送璽詣宛上更始。赤眉大司馬謝禄至高陵，更始奉璽赤眉。赤眉立劉盆子。建武三年，盆子敗於宜陽，璽還光武。孫堅從桂陽入討董卓，卓時已焚燒洛邑，徙都長安。堅軍於城南見井中旦旦有光，軍人莫敢汲。堅乃探得璽。初，卓作亂，掌璽者投於井中，故堅得之。袁紹有僭盗意，乃拘堅妻逼求之。

紹得璽，見魏武舉以向肘，魏武惡之。紹敗，得璽還漢以禪魏，魏以禪晉。趙王倫篡立，使義陽王威就惠帝取璽，帝不與，强奪之。晉帝永嘉五年，王彌入洛陽，執懷帝及傳國六璽詣劉曜。後爲石勒所併，璽復入勒，刻一邊云：『天命石氏。』此題今不復存。勒爲冉閔所滅，此璽入閔。閔敗，璽存閔之部屬蔣幹。晉鎮西將軍謝尚，遣都護何融至，購賞得之，以晉穆帝永和八年還江南。晉元帝東渡，歷數帝無玉璽，北人皆云司馬家是白板天子。

疏

天啟甲子九月臨漳民邢一泰於漳河西畔得玉璽奏疏

程　紹

秦璽之不足徵，久矣。今璽之出，適在臣疆內，道路喧噪，流聞禁闥。既不應還瘞地下，又不敢秘於人間。欲遣官恭進闕庭，跡涉貢媚，非臣誼所宜；亦恐皇上之所寶者，在彼不在此，臣雖什襲進之，皇上且瓦礫置之也。謹先馳奏聞，候命進止。昔者王孫圉不寶玉珩，齊威王不寶炤乘，蠻夷偏霸，猶知尊賢珤善，輝耀史册，况乎聖明之朝、全盛之世乎？今之大臣如總憲鄒元標、馮從吾，尚書王紀、盛以弘、孫慎行，侍郎曹于汴等，憂國奉公，白首魁艾，有一斥不還之詞臣，久錮不起之臺諫，思皇多士，國之寶臣。臣不能挽回天聽，汲致明廷，徒獻符貢璽，效七十二代之故事，臣竊羞之。伏望皇上踐履大寶，克受貞符，怡神寡欲，親賢納諫。在朝之忠直勿事虛拘，遺野之名賢急爲登進。玉瓚毖於清廟，瑚璉賁於明堂。共襄大器，永固金甌。雖謂虞舜黄璽、夏禹玄圭，至今存可也，區區傳國璽，其真僞豈足論哉！

表

賀上傳國寶表

曾　肇

受命之符，爲時而出，自天之祐，維聖是承。方拜貺於大庭，遽均恩於率土。官師動色，海宇蒙休。臣聞夫國璽之有去來，猶周鼎之有輕重。好治而惡亂，舍昏而即明。頃自有唐之衰，薦更五代之季，伏而不發，殆且百

年。忽爾自歸，將傳萬世。所以表祖宗積累之慶，告社稷靈長之休，在聖與仁，宜昌而壽。陛下沉潛迪哲，剛健好生，參天地以成能，垂子孫而作則。果有神物，是貽皇家。固將配甘露以紀元，豈止擬芝房而度曲。臣職專守土，志切慕君。講稱壽之儀，阻陪下列；奏升中之頌，故俟方來。

代任參賀玉璽表

趙南唐

天道左旋，炎圖復振，皇威北暢，珍物耑歸。元正會朝，普率呼抃。伏以海嶽所產，惟玉稟陽；宗廟之傳，以璽守位。元帝得之興晉祚，光武因之洪漢京。恭惟皇帝陛下席累聖之休，受一謙之益。以時和歲豐爲上瑞，以兵寢刑措爲極功。蠲租弛民，群生莫不安業；解網恤物，異類亦且懷仁。函封遠致，不知何國之白環；篆刻孔彰，咸曰寧王之大寶。故府之藏既入，神州之復可期。臣病解樞機，勉之藩服。觴稱萬壽，自憐遂隔於慶儀；品列三金，猶幸獲供於貢職。

牋

代崔彧進傳國璽牋

楊桓

資德大夫、御史中丞臣崔彧言：至元三十一年，歲次甲午春正月既望旦，臣番直宿衛，御史臺事臣闊闊术即衛所告曰：『太師國王之孫曰拾得者，嘗官同知通政院事，今既歿矣，生產散失，家計窘極。其妻脱脱真縈病，一子甫九歲，託以玉見貿，供朝夕之給。』及出玉，印也。闊闊术，蒙古人，不曉文字，兹故來告。聞之且驚且疑，乃還私家取視之，色混青綠而玄，光采射人。其方可黍尺四寸，厚及方之三不足，背鈕盤螭，四厭方際，鈕盡璽堺之上，取中通一橫竅可徑分，舊貫以韋條。面有篆文八，刻畫捷徑，位置匀適，皆若蟲鳥魚龍之狀，別有仿佛有若『命』字、若『壽』字者。心益驚駭，意謂無乃當此昌運，傳國璽出乎？急召監察御史臣楊桓至，即讀之曰：『受命于天，既壽永昌。』此傳國璽文也。聞之，果合前意，神爲肅然。乃加以浄綿，複以白帕，率御史臣楊桓、通事臣闊闊术等直趨青宮，因鎮國上將軍都

指揮使詹事王慶端、嘉議大夫家令臣阿散罕、少中大夫詹事院判臣僕散壽，導謁進獻皇太后御前，啟曰：『此古傳國璽也。秦以和氏璧所造，厥後有天下者寶之，以君萬國。然自前代失之久矣。今當宮車晚出，諸大臣僉議迎請皇太孫龍飛之時，不求而見，此乃天示其瑞應也。宜早達於皇太孫行殿，以符靈貺，已蒙嘉納。』

翼日，令資善大夫中書右丞詹事臣張九思、少中大夫詹事院判臣僕散壽，傳皇太孫，親爲付授。此蓋皇太妃懿慮深遠，非臣愚所能及也。臣前又啟：『收藏寶璽之家，不知甄别，循常以玉求鬻，臣見而識之，特持來獻，彼猶未知。望恩恤其家。』傳旨賜收玉之家楮幣二千五百貫，并逮臣等進辨其寶者三人衣段各一表裡，紋金綺素有差，以爲異日旌實之徵。臣等已詣府前敬受訖，自惟無狀，不勝慚赧。是日，金紫光禄大夫中書右丞相臣完澤，率集賢、翰林侍從諸臣入賀御前，命出寶璽，遍示群臣。此又出於皇太妃至正至大之量。翰林學士臣董文用等前啟曰：『此誠神物，出當其時。若非皇太妃、皇太孫聖感，何以臻此！』丞相以下臺臣等次第上壽，自是內外稱慶，咸曰天命有歸。

臣聞《詩序》曰：『文王有德，故天復命武王。』今神寶之出，蓋因先帝有明德，故天命復歸於皇太孫也。又曰：『皇天親有德，享有道。』以言皇天非有德有道，則不親不享也。又聞之《書》曰：『皇天無親，惟德是輔。』又曰：『天命有德，克享天心，受天明命。』作善，降之百祥。歷觀上世《詩》《書》之旨，未有無德而能致天命之歸也。欽惟太祖聖武皇帝秉資神格，始爲天下除禍定亂，隆功盛德，簡在天心，受命而爲天下主。以至我憲天述道仁文義武太光孝皇帝，德配乾坤，功包海嶽，孝格宗廟，子育黎元，輿地所記，悉主悉臣，照臨無幽，咸遂生樂施。及明孝太子天錫仁慈之德，上感君親之悦，下係億兆之望，至元建號，日月重明，無爲而治者迨廿年。雖由太子進德修業之洪溢，亦賴元妃內助之淵密也。敬惟皇太妃聰明淑懿，母儀崇嚴，德量溥厚，孝敬慈恕，出乎天性，往古未有也。自明孝太子升遐，內則

皇孫翼翼，訓導端嚴；外則百司班班，臨御整飭，由是聖上君父大見倚重。雖於時皇太孫未昭儲副之託，而詹事之司未嘗一日廢闕，以見皇天定命於青宮之位，無時不在，誠非人力所能爲也。欽惟皇太孫殿下德資剛明，才兼文武，英謀獨斷，大肖祖宗，族屬係望，遐邇歸心。聖祖憲天述道仁文義武太光孝皇帝，灼知天命之所在，久存隆顧，將付以撫軍之重，於至元三十年夏六月二十二日，賜以皇太子金寶，大正儲位，而後詔以出師之期。天下聞之，室家胥慶，和氣穰穰，出於兩間。是歲秋稔，數年罕遇。臣切念天象無言，託命不爽，豈期又於大行皇帝宮車晚出之後甫八日，傳國神寶不求而出於大功臣子孫之家，速由臺諫耳目之司直達於皇太妃御前。斯蓋皇天授命，皇太孫誕膺龍飛，以正九五之位，俾符寶璽之文，既壽而永，永而又昌。臣又見皇天之心，大賴我皇元繼體之君，不疾不遲，景命適至，以允四海之望者。其瑞應之兆有三。按《唐史》，代宗之將爲太子，先封楚王，及位正儲副而監國，楚州獻定國寶一十有三，因曰：『楚者，太子之封。今天降寶於楚，宜建元寶應，蓋以寶爲太子瑞應也。』昔明孝太子封爲燕王，今皇太孫燕王之子也，將主神器，而神寶出於燕，適於前事相符。此瑞應之兆一也。又，寶璽之出，正當皇元聖天子六合一統之時，宮車晚出之近朝，以見天心正爲繼體之君設也。此瑞應之兆二也。又，寶璽之出，適當月之三十日，有終而復始之象，以見先聖皇帝御世太平之功既成，俾繼體之君復其始也。此瑞應之兆三也。今以此三兆觀之，益見天命之來，際合於青宮也。

臣區區之情，無任傾嚮，輒罄所見，以贊其萬一。謹將寶璽之出處，古今始末，詳據考按。許慎《説文》：『璽，王者印也。以守土，故爲文從爾，從土。』其義蓋曰天付爾此器，俾寶之，以守爾土也。至周太史籀易爲從爾從玉，義取天付爾此玉寶，以爲天下君也。三代以上，璽文無所考。諸史籍并《寶璽篆文圖説》曰：傳國璽方四寸，其文文飾如前。楚以卞和所獻之璞，琢而成璧，後求昏於趙，以納聘焉。秦昭王請以十城易之而不獲。始皇併六國得之，命李斯篆其文，玉工孫壽刻之。《太平御覽》又以爲藍田玉所

刻。二世子嬰奉璽降沛公於軹道旁。高祖即位，服其璽，因世傳之，謂爲傳國璽。厥後孺子未立，藏於長樂宮。及莽簒位，使安陽侯王舜迫太后求之，太后怒罵而不與。舜言益切，出璽投之地，璽因歸莽。及更始滅莽，校尉公賓就得璽詣宛，獻於更始。赤眉殺更始，立盆子，璽爲盆子所有。後盆子面縛，奉璽於光武。至獻帝，董卓作亂，掌璽者投於井中。孫堅征董卓，於井中得之。袁術奪於堅妻。術死，荆州刺史徐璆聞帝爲曹操迎在許昌，以璽送之帝。後遜位，并以璽歸魏帝。道鄉公禪位，璽歸於晋。懷帝遇劉聰之害，璽歸於聰。聰死，歸曜。曜爲石勒所滅，璽入於勒。勒滅，入於冉閔。閔敗，見收於閔之將軍蔣幹。晋征西將軍謝尚購得之，以還東晋，時穆帝永和八年也。自璽寄於劉、石，共五十三年，晋復得之。自後宋、齊、梁、陳相傳，以至於隋滅陳，蕭后與太子正道并傳國璽，并入於突厥。唐太宗即位，寶璽未獲，乃自刻玉曰『皇帝景命，有德者昌』。貞觀四年，蕭后與正道自突厥奉璽歸於唐，唐始得焉。朱温簒唐，璽入於温。莊宗定亂，璽入於後唐。莊宗遇害，明宗嗣立，再傳養子從珂，是爲廢帝。后氏簒立，自焚，自是璽不知所在。至宋哲宗，咸陽民段義獻玉璽。及徽宗爲金所虜，凡有寶璽金皆取之，内璽一十有四，青玉傳國璽一，其色與今所獻玉璽相同，則知宋之南遷二百年，無此寶璽也明矣。然自金既取於宋之後，寶璽出處得失，亦未見明説。以及我元，適集皇太孫寶命所歸之際，應期而出，臣職總御史，親會盛事，不可以不録。又圖中别有璽，其文亦八，旁注曰：『此傳國璽背文也。』今見寶璽之背皆刻螭形蟠屈，凹凸不齊，遍察厥四際，無地可置此文。按《太平御覽》，秦光十九年，雒州刺史郄恢表慕容永稱藩奉璽，方六寸，厚七分，蟠螭爲鼻。今高四寸六分，四邊龜文下有字曰『受天之命，皇帝壽昌』。原其所由，未詳厥始，以斯言之，當别是一璽，非今傳國璽也。此又不可不辨。臣或誠惶誠恐，頓首頓首，謹奉牋上進以聞，伏希聽覽，微臣不勝瞻望之至。謹言。

論

秦璽論

胡致堂

有天下者，必汲汲於一璽，求之不得，則歉然若郡守、縣令之官，而未視印紱也。夫璽何所本哉？二帝三王不聞傳是物，而後爲君也。舜受之堯，禹受之舜，湯受之禹，文武受之湯，先聖後聖若合符節者，豈符之謂歟！故《詩》《書》《春秋》紀事詳矣，曾不及璽。獨秦誇大，使李斯以蟲鳥之文，刻之美玉，兼稱皇帝，以識詔令。自是而後，始有璽書。使秦善也，而璽無所本，固不當法；使秦不善也，而璽雖美，擊而破之爲宜，又何足傳也。故嘗論之：官府百司之印章，一代所爲，而受之君者也，不可以失，失之則不敬。天子之璽，亦一代所用，而非受之於天者也，必隨世而改，不改則不新。故漢有天下，當刻漢璽，而不必襲之秦；唐有天下，當刻唐璽，而不必襲之隋。所以正位凝命，革故而取新也。苟以爲不然，曷不於二帝三王監之。彼世之璽，以亂亡毀逸者固多矣，必以相傳爲貴，又豈得初璽如是之久耶！

傳國璽論

郝經

上世帝王所以立政傳信，考文議禮，則有瑞玉服章，符節左契，各爲一代法制。別等差，辨上下，列貴賤，定尊卑，以爲名器而不以爲傳。故唐、虞、夏、殷、周之受命，莫不革故而易新。其先代之寶，世所共珍而不忍毀之者，如大玉、夷玉、天球、河圖、璋判、白弓、繡質、元龜、青純等，或以爲藏，或以爲分，或以爲寶，而亦不以爲傳。故或在王朝，或在侯國，宗沉社僨，則轉而之他。傳受而守之，莫敢少置者，在夫道而已。

初，自道傳而極，極傳而天，天傳而地，地傳而人與萬物。聖王受命，爲天地人物主，乃復以道爲統而相傳。故堯傳舜，舜傳禹，禹傳湯，湯傳文武。本於天命，根於皇極，原於心性。仁義明於夫婦、父子、君臣、上下，察於綱紀、禮樂、文物、政事。是以爲二帝三王而道高萬世，古今莫及，未聞有後世所謂傳國璽者。及秦始皇併天下，奮私智，盡滅先世帝王之制，自謂德高三皇，功過五帝，乃兼帝王之號，而爲皇帝璽綬。滅趙所得楚和氏璧，詔丞相

斯篆其文，刻爲傳國璽，其文曰『受命于天，既壽永昌』。於是除謚法，謂已爲始皇帝，其餘以世爲號，傳之萬世。乃二世而亡，子嬰降而漢得之。漢之佐命，始有意於三代，陋秦而從周，以爲是物既亡楚，又亡趙，復亡秦，乃滅國所得，與斬白蛇劍并藏武庫，傳示無窮。如夏后氏之璜，封父之繁弱，并爲一代寶器。別取藍田渾璞，刻爲大漢受命之璽，以示惟新可也。乃自比秦之子孫，以爲傳國璽。於是偷國之盜，莫不睥睨揶揄，欲以爲己有，縮於周勃，問於霍光，奪於王莽，挈於王憲，專於更始，上於盆子，復歸於光武。至使肘後之石，誤張豐於死。東漢之亡，劫於董卓，獲於孫堅，拘於袁術，卒入曹丕之手。魏傳之晋，懷愍之難，入於劉、石，復歸於金陵。天下之人遂以爲帝王之統，不在於道，而在於璽。以璽之得失，爲天命之絶續，或以之紀年，或假之建號，區區方寸之玉，爲萬世亂階矣。厥後晋傳之宋，宋傳之齊、梁、陳，陳傳之隋，隋傳之唐，而五季更相争奪，以得璽者爲正統。宋靖康之亂，爲金所有。漢以來十有餘代，千有餘年，竟不能復二帝三王之治，所謂天命心性、仁義禮樂與夫綱紀法度，治世之具皆不傳。始則雜於王霸，終則盡爲苟且。其篡弑奪攘，蹂躪血肉，污穢皇極者，不可勝言。

嗚呼！傳者勿傳，勿傳者而傳，其治亂相反宜也，彼嘗有是而亡其國。吾今得之，其誠爲吉祥哉？昔湯伐桀于三朡，俘厥寶玉，誼伯、仲伯以爲非，而作《典寶》，言帝王自有常寶，不可以亡國之物爲寶也。當新莽奪璽之日，元后罵曰：『若自以金匱符命爲新皇帝，當自更作璽，何用此亡國不祥璽爲？』雖一時忿激之言，最爲得理者也。孰謂後世帝王，無是二臣一婦人之見哉！不明堯、舜、禹、湯、文、武之道，竟寶吕政亡國之器，襲訛踵陋，莫以爲非，可爲嘆惋。且其制名爲傳國，謂以國傳之人與子孫也，如堯傳舜，舜傳禹，可以謂之傳矣。武王傳成王，成王傳康王，可以謂之傳矣。凡不以禮授受者，皆不可謂之傳。征伐而得，則謂之取。篡弑而得，則謂之奪。攘竊而得，則謂之盗。仍謂其璽爲傳國，何哉？或曰：然則無璽可乎？曰：信以傳信，既以爲典矣。可遂廢而不用乎？一代受命，自可爲一代之璽，更其

文爲一代之文。亡國則藏之，秦不傳漢，漢不傳魏可也。光武傳之明帝，明帝傳之章帝，至於建安禪代之際，更爲魏璽可也。獨以秦璽爲歷代傳國璽，不可也。近世金亡而獲秦璽，以爲亡國不祥之物，委而置之，不以爲寶。一帝一璽，不以爲傳，雖曰變古，乃所以復古也。故著論以推本云。

記

玉璽傳授本末記

失名

秦璽者，李斯之魚蟲篆也。其圍四寸，至漢謂之傳國璽。迄於獻帝，所寶用者，秦璽也。歷代皆用其名。永嘉之亂，没於劉、石，永和之世，復歸江左者，晋璽也。太元之末，得自西燕，更涉六朝，至於隋代者，慕容燕璽也。劉裕北伐，得之關中，歷晋暨陳，後爲隋有者，姚秦璽也。開運之亂，没於耶律女真，獲之以爲大寶者，石晋璽也。蓋在當時，皆誤以爲秦璽，而秦璽之亡，則已久矣。

序

吴氏印譜序

揭汯

印章之來尚矣！制式之等，鈕綬之别，雖各有異，所以傳令示信一也。是編自漢至晋，凡諸印章，搜訪殆盡，一一摹拓。類聚品列，沿革始末，標注其下。不惟千百年之遺文舊典，古雅朴厚之意，粲然在目，而當時設官分職，廢置之由，亦從可考焉。吴氏孟思，素以篆隸名，而是編皆其手録，尤可寶也。熊君仲章得之以示余，故書此而歸之。至正二十五年五月甲子書。

楊氏集古印譜序

俞希魯

予家舊藏王子弁《嘯堂集古録》，列古印刻式三十有七。後遊杭，識竹房吾子行，得《學古編》，其所收益富，當時視爲賅博。乃今見浦城楊侯宗道《印譜》，絶出二書遠甚。展卷披閲，使人慨然有懷古之意。予觀《周官·職金》所掌之物，皆揭而璽之。鄭氏謂：璽者，印也。則三代未嘗無印，特世遠湮没，非若彝器重大，而可以久傳者也。然則虞卿之所棄，蘇秦之所佩，

殆亦周之遺制歟？漢去古未遠，其制作必有自來，斯譜之所以不易得也。蓋亦録梓而行諸世，俾好事者得有所考焉。

印藪序

王百穀

夫輯瑞合符，流傳邈矣；刻龍判虎，制作紛然。漢祖晝銷於借箸，博陸夜徵而按劍。錐畫倉皇於朝亂，倒用譎詭於軍興。虞卿急友而解去，周福因師而獲綰。斯皆見聞沿襲，方策不刊者矣。於是顧君汝修，海岱琛奇，門庭國士，無雙之雋。尚充啟乎司徒、第五之名，誠何減乎驃騎、南金并朗。東箭挺生，書流望邁。夫皇象博物，譽隆於茂先。樾購林搜，探囷剖谷，公私并録，銅玉俱收。辨莓苔之蝕字，而摩挲斷璞；測塵埃之鏽畫，而把玩殘章。宫商附麗，宛同貫柳之鱗；朱紫參差，似出散花之手。列爵則君公卿士，驥尾荒夷；類族則王謝崔盧，綴旒詫姓。臨摹殫力於按圖，假借傾心於請璧。象形折微於蟲鳥，轉注闕文於魯魚。浮湛日月，罄匱精靈。爰撰斯編，嘉名《印藪》。嗚呼！玉璽與黄屋齊更，銅章共朱顔并殉。悲哉紫綬之人，

盡是青原之骨。爾乃耕夫亡賴，秦書發錢鎛之餘；樵豎何知，晋籀拾斧斤之下。斵土荒岡，化形之鵲莫隱；披榛故隴，左顧之龜始出。匪直金盤玉魚，同其珍怪；抑亦石經漆簡，媲其光價矣。

啟

請周翼微刻印啟

陳維崧

月晴紫陌，只照青衫；秋老渾河，漸添黄葉。荆軻一去，市中饒感慨之人；樂毅無歸，臺畔足飄零之客。爰有汝南才子，婁水名流，摛文則翡翠盈箱，織句則蒲桃竟幅。固已江東僑肸，推以君宗；河北温邢，呼爲祭酒。爰觀石鼓，偶客金臺。劉公幹之逸氣，籍甚鄴中；王輔嗣之清談，斐然都下。五侯接席，都爲樓護傳鯖；千里知名，競以陳蕃下榻。昨與同人，爲言剩技。周瑜顧曲之暇，間涉説文；伯仁飲酒之餘，兼摹繆篆。爛銅破玉，頻鐫蝌蚪之形；漢印秦章，屢畫蛟螭之狀。然此微長，原無足述；如斯小道，亦又何

之。僕笑而言：『君何不逹？』今夫華章麗句，或偏知己之難逢；鉅製鴻裁，恒慮賞音之莫遘。若夫見蔡中郎之鳥篆，則傳觀盡訝其精；睹戴安道之鷄碑，則好事群驚其妙。蓋形而下者易爲知，形而上者難爲喻也。然而聊爲遊戲，何妨暫揮郢客之斤；姑與周旋，何須不刻宋人之葉？嗟乎！絶技可傳，多能有屬。衹論一藝，願諸君無失此人；若問其他，恐當世竟無其亞。譬訪君平卜筮，亟趁其百錢罷肆之前；如求王宰丹青，幸需之十日一山而後。

考

玉璽考

楊慎

元朝至元三十一年，木華黎曾孫碩德卒，其妻出古玉印貨之。中丞崔彧、秘書丞楊桓辨其爲傳國璽，上之。慎按，秦始皇之璽，一曰『皇帝壽昌』，一曰『既壽永昌』，已傳疑有二矣。至朱梁亡，入於後唐。又唐主存勖謀即位，魏州僧以傳國璽獻，遂即位。則後唐之璽，蓋有二也。璽既有二，則必有一贋矣。是以今日既曰於潞王從珂同焚於洛陽之玄武樓矣，而他日段義又得之，以爲宋哲宗獻；今日既曰入金，與金哀宗同焚於蔡州之幽蘭軒矣，而翟朝宗又得之，以爲宋寧宗獻。若果贋而酷肖，則宋徽宗正衒名受欺者，又何疑其無檢，螭角無缺，郤之不用，而別制定命寶邪？贋跡在宋，屢敗露矣，而元之崔彧、楊桓，又何由得之寡婦貨物而獻之？余意以爲楊桓素工篆書，即著《六書統》者，必桓私刻之，謀於崔彧，而託名於碩德之妻無疑。崔彧之意，欲迎合皇太妃，以翊戴成宗，而爲此眩耀俗目，而定其位耳。按，《通典》云：秦得藍田白玉，爲璽曰『受天之命，皇帝壽昌』。《漢書》注衛宏曰：秦璽題是李斯書，其文曰『受命于天，既壽永昌』。《十國紀年》：晉開運末，北戎犯闕。少帝重貴，遣其子延煦獻傳國璽於遼，遼主訝其非真。宋哲宗元符元年五月，咸陽民段義斸地得玉璽。蔡京及講議玉璽官十三員奏曰：『皇帝壽昌者，晉璽也；受命于天者，後魏璽也；有德者昌，唐璽也；惟德元昌者，石晉璽也。則既壽永昌者，秦璽可知。』蔡京輩小人媚上，不憚誣天

矣，而況於欺人乎？縱使真是秦璽，亦無道之物，亡國之器，豈舜之五瑞、禹之玄圭乎？噫，宋之君臣，可謂迷惑無識矣！

跋

人世莫不以文字爲貴，湯盤孔鼎、岣嶁岐陽之見重者，以其古質而有先哲之遺文也。璽印之文字，較他物爲重。且結繩之後，象形二篆而爲八分，八分而隸，隸而真、艸、行矣。世風日下，文雅而爲鄙俗，古樸而爲浮薄，事無不然。獨印章於真、草、行書之後，猶然篆刻。則古意之未亡者，僅此一物而已。曷可泛視耶？清溪子《印典》八卷，分十二類。凡璽印淵源，制度故事，以及評論造作，歌詠記叙，莫不畢備，捨此別無講求考覈之述作。而所採諸書更多秘妙，如吴中隱人王基太御氏《梅菴雜記》《蝸廬筆記》，元人宋无子虛氏《考古紀略》，宋葉氏《游藝雜述》，流傳甚罕，聞檇李曹氏曾有抄本。其餘收藏家俱未之見，苟非廣搜博覽，安能及此？墅耕者，諱世臣，官太常。怡軒先生者，諱必信，官大理。俱爲前代詞宗，即清谿先世。因以附記云。康熙六十一年，歲次壬寅春仲，沙村白長庚。

文華叢書

《文華叢書》是廣陵書社歷時多年精心打造的一套綫裝小型開本國學經典。選目均爲中國傳統文化之經典著作，如《唐詩三百首》《宋詞三百首》《古文觀止》《四書章句》《六祖壇經》《山海經》《天工開物》《歷代家訓》《納蘭詞》《紅樓夢詩詞聯賦》等，均爲家喻户曉、百讀不厭的名作。裝幀採用中國傳統的宣紙、綫裝形式，古色古香，樸素典雅，富有民族特色和文化品位。精選底本，精心編校，字體秀麗，版式疏朗，價格適中。經典名著與古典裝幀珠聯璧合，相得益彰，贏得了越來越多讀者的喜愛。現附列書目，以便讀者諸君選購。

人間詞話（套色）（二册）
了凡四訓 勸忍百箴（二册）
三字經・百家姓・千字文・弟子規（外二種）（二册）
三曹詩選（二册）
小窗幽紀（二册）
山谷詞（套色、插圖）（二册）
山海經（插圖本）（三册）
千家詩（二册）
王安石詩文選（二册）
王維詩集（二册）
天工開物（插圖本）（四册）
元曲三百首（二册）
元曲三百首（插圖本）（二册）
太極圖說・通書（二册）
水雲樓詞（套色、插圖）（二册）
片玉詞（套色、注評、插圖）（二册）
六祖壇經（二册）
文心雕龍（二册）
文房四譜（二册）
孔子家語（二册）
世説新語（二册）
古文觀止（四册）
古詩源（三册）
史記菁華録（三册）
史略・子略（三册）
四書章句（大學、中庸、論語、孟子）（二册）
白雨齋詞話（三册）
白居易詩選（二册）
老子・莊子（三册）
西厢記（插圖本）（二册）
列子（二册）
伊洛淵源録（二册）
孝經・禮記（三册）
花間集（套色、插圖本）（二册）
杜牧詩選（二册）
李白詩選（簡注）（二册）
李商隱詩選（二册）
李清照集附朱淑真詞（二册）

（加*爲待出書目）

清賞叢書

《清賞叢書》是廣陵書社最新打造的一套綫裝小開本圖書。本叢書選目均爲古人所稱清玩之物、清雅之言，主要是有關古人精緻生活、書畫金石鑒賞等著作，如高濂《遵生八箋》、張岱《西湖夢尋》、曹昭《格古要論》等，讓喜好傳統文化的讀者，享受古典之美，欣賞風雅之樂。

本叢書裝幀仍採用中國傳統的宣紙、綫裝形式，與本社另一套經典名著叢書《文華叢書》相得益彰，古色古香，樸素典雅，富有民族特色和文化品位。本社精選底本，精心編校，版式疏朗，字體秀麗，價格適中。現附列書目，以便讀者選購。

山家清供附山家清事（二册）
印典（二册）
西湖夢尋（二册）
牡丹譜 芍藥譜（二册）
荔枝譜（二册）
香譜（二册）
洞天清祿集 格古要論（二册）
梅蘭竹菊譜（二册）
猫苑 猫乘（二册）
琴史（二册）
遵生八箋·四時調攝箋（四册）
遵生八箋·起居安樂箋（二册）
遵生八箋·飲饌服食箋（三册）
遵生八箋·燕閑清賞箋（三册）
＊汝南圃史（三册）

（加＊爲待出書目）

清賞叢書

印典

〔清〕朱象賢 撰